Magdalena Ozorowska *Grammar explanations*
Andrea Schwingshackl *Vocabulary / Cultural studies*

A1.1

MENSCHEN

Deutsch als Fremdsprache
Glossary XXL

Deutsch – Englisch
German – English

Hueber Verlag

| 7. | 6. | 5. | | | Die letzten Ziffern |
| 2021 | 20 | 19 | 18 | 17 | bezeichnen Zahl und Jahr des Druckes. |

Alle Drucke dieser Auflage können, da unverändert,
nebeneinander benutzt werden.
1. Auflage
© 2014 Hueber Verlag GmbH & Co. KG, München, Deutschland
Umschlaggestaltung: Sieveking · Agentur für Kommunikation, München
Zeichnungen: Michael Mantel, Barum
Layout: Sieveking · Agentur für Kommunikation, München
Satz: Sieveking · Agentur für Kommunikation, München
Druck und Bindung: Firmengruppe APPL, aprinta druck GmbH, Wemding
Printed in Germany
ISBN 978–3–19–051901–9

Art. 530_00165_001_05

Contents

Lektion 1: Hallo! Ich bin Nicole ...

1

deutsch	Welche deutschen Namen kennen Sie?	German
heißen	Wie heißen Sie?	to be called: My name is...
hören	Hören Sie das Lied.	to hear, to listen
kennen	Welche deutschen Namen kennen Sie?	to know
das Lied, -er	Hören Sie das Lied.	song
der Name, -n	Welche deutschen Namen kennen Sie?	name
noch	Welches Lied kennen Sie noch?	still, yet, else; here: else
Sie	Hören Sie!	you (formal)
welche	Welche deutschen Namen kennen Sie?	which
wie	Wie heißt das Lied?	literally: how; here: what as in "What is the song called"?

2

an·kreuzen	Kreuzen Sie an.	to tick, to mark with a cross
die (Plural)	Notieren Sie die Namen.	the (plural, definite article)
du	Wer bist du?	you (informal, singular)
ein/e	Zeichnen Sie einen Sitzplan.	a/an (indefinite article)
hallo	Hallo, ich bin ...	hello
ich	Ich heiße Paco.	I
das Kettenspiel, -e	Kettenspiel: Sprechen Sie.	game played in sequence
meist-	Wer weiß die meisten Namen?	most
notieren	Notieren Sie die Namen.	to note, to take a note
sein (Verb)	Ich bin Nicole.	to be
der Sitzplan, ⸗e	*Zeichnen Sie einen Sitzplan.*	*seating plan*
sprechen	Sprechen Sie.	to speak
und	Hören Sie und kreuzen Sie an.	and
wer	Wer bist du?	who
wissen	Wer weiß die Namen?	to know (factual knowledge)
zeichnen	Zeichnen Sie.	to draw

BILDLEXIKON

auf Wiedersehen	Auf Wiedersehen, Herr Rodriguez.	goodbye (literally: "until we see each other again")
guten Abend	Guten Abend, Frau Wachter.	good evening
gute Nacht	Gute Nacht, Nicole.	good night
guten Morgen	Guten Morgen, Paco.	good morning
guten Tag	Guten Tag, Frau Wachter.	hello (literally: "good day")

3

ergänzen	Ergänzen Sie.	to complete
das Gespräch, -e	Hören Sie das Gespräch.	conversation
mit	Vergleichen Sie mit a.	with
nein	Nein, ich komme aus Mexiko.	no
sagen	Wer sagt das?	to say
vergleichen	Vergleichen Sie.	to compare
was	Wer sagt was?	what
weiter·hören	Hören Sie weiter.	to continue to listen
zu·ordnen	Ordnen Sie zu.	to allocate, to put in order

COUNTRIES

(das) Ägypten	Egypt		(das) Mazedonien	Macedonia
(das) Deutschland	Germany		(das) Mexiko	Mexico
(das) Frankreich	France		(das) Österreich	Austria
(das) Großbritannien	Great Britain		die Schweiz	Switzerland
(das) Indien	India		(das) Spanien	Spain
Iran	Iran		die Türkei	Turkey

4

die (Singular)	die Musik	the (definite article, feminine)
die Musik (Sg.)	Woher kommt die Musik?	music

5

auch	Und wie geht's Ihnen? – Auch gut.	also, too
danke	Wie geht's? – Danke, gut.	thank you
die Frau, -en	Hallo, Frau Wachter.	here: Mrs and/or Ms.
gut	Wie geht's? – Gut, danke.	good
der Herr, -en	Auf Wiedersehen, Herr Rodriguez.	here: Mr.
Ihnen	Wie geht's Ihnen?	you (personal pronoun, formal, dative)
der Tag, -e	Guten Tag.	day

6

antworten	Fragen und antworten Sie.	to answer
arbeiten	Arbeiten Sie zu viert.	to work
auf	Arbeiten Sie auf Seite 73.	here: on
bekannt	Angela Merkel ist eine bekannte Persönlichkeit.	famous, well known

der Familienname, -n	Familienname: Rodriguez, Wachter …	surname
fehlend	*Ergänzen Sie die fehlenden Informationen.*	*missing*
formell	*formell: Sie*	*formal*
Ihr/e	Ihr Partner arbeitet auf Seite 77.	your (possessive article, formal address)
die Information, -en	Ergänzen Sie die Informationen.	information
informell	*informell: du*	*informal*
ja	Er kommt aus Mexiko, hm? – Ja.	yes
noch einmal	Hören Sie noch einmal.	once again
oder	Du oder Sie?	or
der Partner, - / die Partnerin, -nen	Ihre Partnerin arbeitet auf Seite 77.	partner
die Persönlichkeit, -en	*bekannte Persönlichkeiten: Angela Merkel …*	*public figure*
die Seite, -n	Arbeiten Sie auf Seite 73.	page
sie (Singular)	Das ist Nicole. Sie kommt aus Österreich.	she (personal pronoun, singular, nominative)
üben	*Üben Sie: du oder Sie?*	to practise
der Vorname, -n	Vorname: Nicole, Paco, Winfried …	first name
würfeln	*Würfeln Sie.* 	*to roll/throw the dice*

7

dir	Wie geht es dir?	you (personal pronoun, familiar, dative)
nicht	Nicht so gut.	not
die Person, -en	Wer ist die Person?	person
sehr	Wie geht's? – Sehr gut. 😊	very
so	Wie geht's? – Nicht so gut. 🙁	so

> **TIPP** Always learn questions and answers at the same time.

> Wie geht es dir? – Danke, gut.
> Wie heißen Sie? – Ich bin …

8

die Konferenz, -en	Sie sind auf einer Konferenz.	conference
das Namensschild, -er	Schreiben Sie Namensschilder.	name badge
die Party, -s	Sie sind auf einer Party.	party
schreiben	Schreiben Sie Namensschilder und sprechen Sie.	to write

9

bitte	Wie bitte?	please, you are welcome; here: „Wie bitte?" "Pardon?", "Sorry?"
buchstabieren	Buchstabieren Sie bitte.	to spell sth.

diktieren	Diktieren Sie Ihren Namen.	to dictate sth (to so.)
mein/e	Mein Name ist …	my (possessive article)
nach·sprechen	Sprechen Sie nach.	to repeat, to speak after (so.)
der Umlaut, -e	Ä ist ein Umlaut.	umlaut, mutated vowel

10

der Abschied, -e	Abschied: Tschüs! Gute Nacht!	farewell, goodbye
die Begrüßung (Sg.)	Begrüßung: Hallo! Guten Tag!	greeting
das Bildlexikon, -lexika	Hören Sie die Wendungen aus dem Bildlexikon.	pictorial dictionary
der Abend, -e	Guten Abend.	evening
der Morgen, -	Guten Morgen.	morning
die Nacht, ̈e	Gute Nacht.	night
die Wendung, -en	Hören Sie die Wendungen.	here: expression, phrase

11

| das Ende | Verabschieden Sie sich am Ende. | end (of sth.), finish |
| die Stunde, -n | Die erste Stunde im Kurs | hour, lesson |

LERNZIELE

das Alphabet, -e	das Alphabet: A, B, C …	alphabet, ABC
andere-	Stellen Sie andere Personen vor.	other
aus	Ich komme aus Österreich.	here: from
das Befinden (Sg.)	Fragen Sie nach dem Befinden.	condition, feeling, health
begrüßen (sich)	sich begrüßen: Hallo. – Guten Tag.	to greet (so. or each other)
das (Artikel)	das Alphabet	the (definite article, neuter)
das: das ist …	Das ist Paco.	here: this: this is; that: that is
er	Er kommt aus Mexiko.	he (personal pronoun, nominative)
fragen	Fragen Sie.	to ask (a question)
gehen	Wie geht's? 	to go; the phrase „Wie geht's?" means "How are you? "
die Grammatik, -en	Grammatik: Konjugation, Fragen …	grammar
kommen (aus)	Du kommst aus Deutschland, hm?	to come (from)
die Konjugation, -en	Konjugation Singular: ich komme, du kommst, er / sie kommt, Sie kommen	conjugation
das Land, ̈er	Spanien ist ein Land.	country
nach	Fragen Sie nach dem Befinden.	after, for, to, past, here: to ask about health
der Singular (Sg.)	Singular: eine Person, ein Partner, ich, du …	singular
tschüs	Sagen Sie: tschüs oder auf Wiedersehen!	bye-bye!

verabschieden (sich)	Verabschieden Sie sich mit tschüs.	to say goodbye
vorstellen (sich/ andere)	Sagen Sie Ihren Namen. = Stellen Sie sich vor.	to introduce (oneself/ others)
die W-Frage, -n	W-Frage: Wer? Woher? Wie?	a question starting with an interrogative
woher	Woher kommst du?	where from
das Wortfeld, -er	Wortfeld: Länder	lexical field

GRAMMATIK UND KOMMUNIKATION

die Aussage, -n	Aussage: Ich heiße Paco.	statement
die Herkunft, ÷e	Herkunft: Woher kommen Sie?	origin
die Kommunikation (Sg.)	Sprechen = Kommunikation	communication
die Position, -en	Das Verb ist auf Position 2.	position
das Sprechtraining, -s	Sprechtraining: Sprechen Sie das Alphabet nach.	pronunciation, phonetics
das Verb, -en	Verb: kommen, heißen, sein	verb
die Wiederholung, -en	um Wiederholung bitten: Wie bitte?	repetition
bitten um	um Wiederholung bitten: Wie bitte?	to ask (so.) for sth.

Lektion 2: Ich bin Journalistin.

1

an·sehen	Sehen Sie die Visitenkarten an.	to look at
der Architekt, -en / die Architektin, -nen	Markus Bäuerlein ist Architekt.	architect
der Diplom-Informati- ker, - / die Diplom- Informatikerin, -nen	Ich bin Diplom-Informatiker.	computer scientist graduate
Dr. (Doktor)	Dr. Barbara Meinhardt-Bäuerlein	Doctor (as in holding a doctoral degree)
das Foto, -s	Sehen Sie die Fotos an.	photo, photograph
glauben	Ich glaube, das ist Markus Bäuerlein.	to believe
das Handy, -s	Handy: 0163-909865651	mobile phone
der Hörtext, -e	Hören Sie den Hörtext.	audio text, listening text
der IT-Spezialist, -en / die IT-Spezialistin, -nen	Ich bin IT-Spezialist.	IT expert
die Mail, -s	Mail: mb@x-media.de	e-mail
meinen	Was meinen Sie? Wer ist wer?	to mean, to be of the opinion
das Telefon, -e	Telefon: 030-253812120	telephone

BILDLEXIKON

 der Arzt, ⸚e / die Ärztin, -nen — doctor (med.)

 der Lehrer, - / die Lehrerin, -nen — teacher

 der Friseur, -e / die Friseurin, -nen — hairdresser

 der Schauspieler, - / die Schauspielerin, -nen — actor, actress

 der Ingenieur, -e / die Ingenieurin, -nen — engineer

 der Sekretär, -e / die Sekretärin, -nen — secretary

der Journalist, -en / die Journalistin, -nen — journalist

der Verkäufer, - / die Verkäuferin, -nen — shop assistant

 der Kellner, - / die Kellnerin, -nen — waiter, waitress

PROFESSIONS

der Mechatroniker, - / die Mechatronikerin, -nen	Ich arbeite als Mechatroniker.	mechatronic technician
der Student, -en / die Studentin, -nen	Nadine ist Studentin.	student

2

als	Ich arbeite als Journalistin.	here: as
die Ausbildung, -en	Ich mache eine Ausbildung als Friseur.	here: training
bei	Ich arbeite bei X-Media.	here: at
beruflich	Was machen Sie beruflich?	professional
finden	Hilfe finden Sie im Bildlexikon.	to find
die Hilfe, -n	Hilfe finden Sie im Wörterbuch.	help
der Historiker, - / die Historikerin, -nen	Ich bin Historikerin.	historian
im	Hilfe finden Sie im Wörterbuch.	here: at
der Job, -s	Ich habe einen Job als Kellnerin.	job
das Kärtchen, -	Schreiben Sie Kärtchen.	note card
der Kurs, -e	Suchen Sie im Kurs.	course
machen	Was machen Sie beruflich?	to do
das Plakat, -e	Machen Sie ein Plakat.	poster, bill
das Praktikum, Praktika	Ich mache ein Praktikum bei X-Media.	internship
die Schule, -n	Schule: Goethe-Gymnasium	school

der Schüler, - / die Schülerin, -nen	Ich bin Schüler.	pupil
der Single, -s	*Ich bin Single.*	*single*
die Stelle, -n	Stelle: Journalistin bei X-Media	(here: employment) position
suchen	Suchen Sie im Kurs.	to search
die Universität, -en	Universität: Sorbonne in Paris	university
von	Was sind Sie von Beruf?	by, of, from
das Wörterbuch, ⸚er	Hilfe finden Sie im Wörterbuch.	dictionary

3

aber	Wir sind nicht verheiratet, aber Peter und ich leben zusammen.	but
allein	Ich lebe allein.	alone
etwas	Haben Sie etwas gemeinsam?	something
gemeinsam	Was haben Sven und Nadine gemeinsam?	common
geschieden	Wir sind geschieden.	divorced

ihr	Wo wohnt ihr?	you (personal pronoun,
		   plural, nominative,
		   familiar)

in	Sven und Nadine wohnen in Berlin.	in
das Interview, -s	Hören Sie das Interview.	interview
jemand	Hat jemand etwas mit Ihnen gemeinsam?	someone
jetzt	Fragen Sie jetzt die anderen Paare.	now
kein/e	Sie haben keine Kinder.	no
das Kind, -er	Wir haben ein Kind.	child
okay	*Wir sind Kellner von Beruf, okay?*	*okay*
das Paar, -e	Fragen Sie die anderen Paare im Kurs.	couple, pair
richtig	Was ist richtig? Kreuzen Sie an.	correct
sie (Plural)	Sie leben zusammen.	they (personal pronoun, plural, nominative)
die Stadt, ⸚e	In welcher Stadt wohnen Sie?	town, city
überlegen	Überlegen Sie mit Ihrem Partner.	to reflect, to think
wir	Wir sind geschieden.	we (personal pronoun, plural, nominative)
wohnen	Sie wohnen in Berlin.	to live
zusammen·leben	Peter und ich leben zusammen.	to cohabit, to share a home

4

falsch	2 – 4 – 6 – … 10? – Falsch.	incorrect, wrong
fehlen	Welche Zahl fehlt?	to miss, to be missing
das Rätsel, -	*Machen Sie Rätsel.*	*puzzle, riddle*

die Variante, -n	*Machen Sie Zahlenreihen. Variante: Machen Sie Rätsel.*	variation
von ... bis	Zahlen von 0 bis 100	from ... until
die Zahlenreihe, -n	Machen Sie Zahlenreihen.	sequence of numbers

5

alt	Wie alt bist du?	old
das Alter, -	Alter: Ich bin 34.	age
der Arbeitgeber, -	Barbara arbeitet bei X-Media. Das ist der Arbeitgeber.	employer
das Echo, -s	*Spielen Sie „Echo".*	echo
das Jahr, -e	Ich bin auch 34 Jahre alt.	year
spielen	Spielen Sie „Echo".	to play
super	Super! Ich bin auch 34.	super
wo	Wo wohnen Sven und Nadine?	where
der Wohnort, -e	Wohnort: Berlin	place of residence

6

ähnlich	Machen Sie ähnliche Aufgaben.	similar
arbeitslos	Ist Helga Stiemer arbeitslos?	unemployed
die Aufgabe, -n	Machen Sie zu zweit ähnliche Aufgaben.	exercise
die Kranken- schwester, -n / der Krankenpfleger, -	Sonja Wilkens ist Krankenschwester von Beruf.	nurse
(das) Norwegen	*Kommen Sie aus Norwegen?*	Norway
(das) Portugal	*Kommt Carlos aus Portugal?*	Portugal
der Rentner, - / die Rentnerin, -nen	*Helga Stiemer ist Rentnerin.*	pensioner
(das) Schweden	*Bo Martinson kommt aus Schweden.*	Sweden
studieren	Er studiert in Kiel.	to study
vor·lesen	Ihre Partnerin liest Ihnen drei Texte vor.	to read aloud, to read sth. to so.
das Wort, ⸚er	Verstehen Sie ein Wort nicht?	word
verstehen	Verstehen Sie ein Wort nicht? Hilfe finden Sie im Wörterbuch.	to understand
zusammen·arbeiten	Arbeiten Sie mit einem anderen Paar zusammen.	to work together, to cooperate

7

(das) Dänemark	*Mette kommt aus Dänemark.*	Denmark
markieren	Markieren Sie die Verben.	to mark, to highlight
selbst	Schreiben Sie einen Text über sich selbst.	yourself, oneself

LERNZIELE

der Beruf, -e	über den Beruf sprechen: Ich bin Journalistin.	profession
der Familienstand (Sg.)	Der Familienstand? Ich bin verheiratet.	marital status
haben	Ich habe einen Job als Kellnerin.	to have
das Internet-Profil, -e	Ergänzen Sie Ihr Internet-Profil.	internet profile
kurz	Schreiben Sie einen kurzen Text.	short
lesen	Lesen Sie die Visitenkarten.	to read
die Negation, -en	Negation mit „nicht": Ich bin nicht verheiratet.	negation
Persönliches	über Persönliches sprechen: Ich bin verheiratet.	personal
der Plural (Sg.)	Singular: ich bin, Plural: wir sind	plural
sich	Schreiben Sie einen Text über sich.	oneself
der Steckbrief, -e	Schreiben Sie einen Steckbrief.	personal profile
der Text, -e	Schreiben Sie einen Text.	text
über	Sprechen Sie über den Beruf.	here: about
verheiratet	Ich bin verheiratet.	married
die Visitenkarte, -n	Sehen Sie die Visitenkarten an.	business card
die Wortbildung, -en	Wortbildung mit -in: Journalist, Journalistin	word formation
die Zahl, -en	Zahlen: 1, 2, 3 …	number

GRAMMATIK UND KOMMUNIKATION

der	• der Journalist, • der Arzt	the (definite article, singular, masculine)
leben (in)	Ich lebe in Köln.	to live (in)
die Präposition, -en	Präpositionen: als, bei, in	preposition
das Schreibtraining, -s	Schreibtraining: Schreiben Sie einen Text über sich.	writing exercise

TIPP: Use small note cards for new words and example sentences.

leben
Wir leben in Malaga.

Lektion 3: Das ist meine Mutter.

1

das Bild, -er	Die Frau auf dem Bild ist Herberts Frau.	picture

2

die Physik (Sg.)	Mark studiert Physik.	physics

BILDLEXIKON

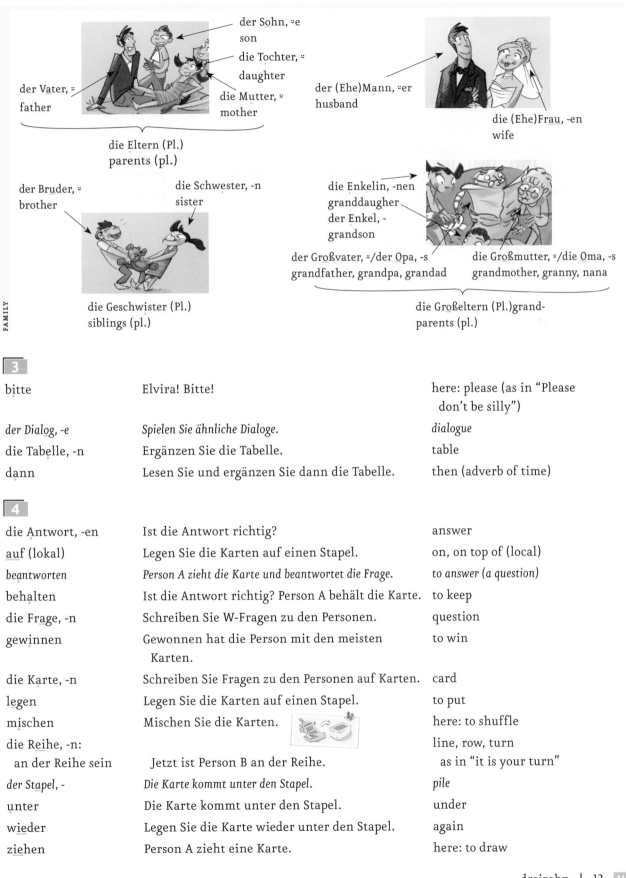

der Sohn, ⸚e
son

die Tochter, ⸚
daughter

die Mutter, ⸚
mother

der Vater, ⸚
father

die Eltern (Pl.)
parents (pl.)

der (Ehe)Mann, ⸚er
husband

die (Ehe)Frau, -en
wife

der Bruder, ⸚
brother

die Schwester, -n
sister

die Enkelin, -nen
granddaugher
der Enkel, -
grandson

die Geschwister (Pl.)
siblings (pl.)

der Großvater, ⸚/der Opa, -s
grandfather, grandpa, grandad

die Großmutter, ⸚/die Oma, -s
grandmother, granny, nana

die Großeltern (Pl.)grand-
parents (pl.)

FAMILY

3

bitte	Elvira! Bitte!	here: please (as in "Please don't be silly")
der Dialog, -e	*Spielen Sie ähnliche Dialoge.*	*dialogue*
die Tabelle, -n	Ergänzen Sie die Tabelle.	table
dann	Lesen Sie und ergänzen Sie dann die Tabelle.	then (adverb of time)

4

die Antwort, -en	Ist die Antwort richtig?	answer
auf (lokal)	Legen Sie die Karten auf einen Stapel.	on, on top of (local)
beantworten	*Person A zieht die Karte und beantwortet die Frage.*	*to answer (a question)*
behalten	Ist die Antwort richtig? Person A behält die Karte.	to keep
die Frage, -n	Schreiben Sie W-Fragen zu den Personen.	question
gewinnen	Gewonnen hat die Person mit den meisten Karten.	to win
die Karte, -n	Schreiben Sie Fragen zu den Personen auf Karten.	card
legen	Legen Sie die Karten auf einen Stapel.	to put
mischen	Mischen Sie die Karten.	here: to shuffle
die Reihe, -n: an der Reihe sein	Jetzt ist Person B an der Reihe.	line, row, turn as in "it is your turn"
der Stapel, -	*Die Karte kommt unter den Stapel.*	*pile*
unter	Die Karte kommt unter den Stapel.	under
wieder	Legen Sie die Karte wieder unter den Stapel.	again
ziehen	Person A zieht eine Karte.	here: to draw

5

die Angabe, -n	Ihr Partner sucht die falschen Angaben.	information, statement, declaration
genau	Dein Bruder ist nicht verheiratet, oder? – Ja, genau.	exactly
oder?	Du bist nicht verheiratet, oder?	or?

6

| das Familienmitglied, -er | Wie heißen Marks Familienmitglieder? | member of the family |

7

der Freund, -e / die Freundin, -nen	Ewa ist meine Freundin.	friend
der Kollege, -n / die Kollegin, -nen	Wer ist das? Dein Kollege?	colleague
raten	Schreiben Sie Namen. Die anderen raten: Wer ist das?	to guess
der Zettel, -	Schreiben Sie Namen auf einen Zettel.	piece of paper, note

8

die Familiengeschichte, -n	Wir sprechen über Familiengeschichten.	family history (as in facts about the family)
interviewen	Interviewen Sie Ihren Partner.	to interview
die Notiz, -en	Machen Sie Notizen.	note

9

die Auflösung, -en	Die Auflösung finden Sie auf Seite ...	here: solution, answer key
ein bisschen	Ich spreche ein bisschen Deutsch.	a bit, a little
farbig	Markieren Sie farbig.	in colour
das Gebiet, -e	Markieren Sie die Gebiete farbig.	area, region
die Kursstatistik, -en	Machen Sie eine Kursstatistik über die Sprachkenntnisse im Kurs.	statistics in class
das Mini-Projekt, -e	Wir machen ein Mini-Projekt: eine Kursstatistik über Sprachkenntnisse.	mini-project
(das) Rätoromanisch	Wir sprechen Rätoromanisch.	Rhaeto- Romanic
viel-	In der Schweiz spricht man viele Sprachen.	much, many
wie viel(e)	Wie viele im Kurs sprechen Englisch?	how much, how many

TIPP
Verbs with vowel change should be noted down the following way:

ich spreche
du sprichst
sie/er spricht

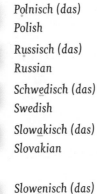

LANGUAGES

Finnisch (das)	Polnisch (das)	Spanisch (das)
Finnish	Polish	Spanish
Französisch (das)	Russisch (das)	Tschechisch (das)
French	Russian	Czech
Italienisch (das)	Schwedisch (das)	Ungarisch (das)
Italian	Swedish	Hungarian
Luxemburgisch (das)	Slowakisch (das)	
Luxembourgian, Luxembourgish	Slovakian	
Niederländisch (das)	Slowenisch (das)	
Dutch	Slovenian	

LERNZIELE

dein/e	Ist das deine Frau?	your (possessive article)
doch	Ist das nicht deine Frau? – Doch.	here: yes (used to express an affirmative answer to a negative question)
der Drehbuchausschnitt, -e	Lesen Sie den Drehbuchausschnitt.	extract of a screenplay
(das) Englisch	Ich spreche Englisch.	English
die Familie, -n	Das ist meine Familie.	family
die Ja-/Nein-Frage, -n	„Ist das deine Frau?" – Das ist eine Ja-/Nein-Frage.	yes-or-no question
der Possessivartikel, -	Possessivartikel: mein, dein …	possessive article
die Sprache, -n	Deutsch ist eine Sprache.	language
die Sprachkenntnisse (Pl.)	Ich habe gute Sprachkenntnisse.	language skills
der Vokalwechsel, -	Ein Verb mit Vokalwechsel ist „sprechen": du sprichst, er / sie spricht	vowel change

GRAMMATIK UND KOMMUNIKATION

feminin	feminin: meine Schwester, deine Schwester	feminine
maskulin	maskulin: mein Bruder, dein Bruder	masculine

MODUL-PLUS LESEMAGAZIN

1

das Baby, -s	Das Baby ist meine Nichte Eliza.	baby
bald	Florian studiert, aber er ist bald fertig.	soon
die Biochemie (Sg.)	Paco studiert Biochemie.	bio-chemistry
fertig (sein)	Florian ist bald fertig und geht dann zurück nach Österreich.	to be finished, to have completed sth.
die Fotografie, -n	Mein Hobby ist Fotografie.	photography
die Fremdsprache, -n	Florian spricht vier Fremdsprachen.	foreign language

gehen	Florian geht zurück nach Österreich.	to go
die Heimatstadt, ⸚e	Meine Heimatstadt ist Wien.	home town
das Hobby, -s	Meine Hobbys sind Skaten und Fotografie.	hobby
kochen	Kochen ist mein Hobby.	to cook
korrigieren	Korrigieren Sie die Sätze.	to correct
das Lesemagazin, -e	*Im Lesemagazin lesen Sie Texte.*	*reading magazine*
die Nichte, -n	Eliza ist meine Nichte.	niece
perfekt	Florian spricht perfekt Englisch.	perfect
der Satz, ⸚e	Korrigieren Sie die Sätze.	sentence
singen	Wir singen ein Lied.	to sing
das Skaten	*Pacos Hobby ist Skaten.*	*to skate*
das Sternzeichen, -	Widder und Waage sind Sternzeichen.	star sign, zodiac sign
die USA	*Miguel lebt in den USA.*	*USA*
die Waage, -n	*Mein Sternzeichen ist Waage.*	*scale, here: Libra (star sign)*
der Widder, -	*Mein Sternzeichen ist Widder.*	*ram, here: Aries (star sign)*
zurück·gehen	Mein Bruder geht bald nach Österreich zurück.	to return
zurzeit	Nicole kommt aus Wien, zurzeit lebt sie aber in München.	at the moment

MODUL-PLUS FILM-STATIONEN

1

auf Wiederschauen	In Österreich sagt man „auf Wiederschauen".	good bye (predominantly used in Austria and Southern Germany)
der Clip, -s	*Wir sehen einen Film-Clip im Kurs.*	*clip*
der Film, -e	Sehen Sie den Film.	film, movie
die Film-Station, -en	drei Film-Clips – eine Film-Station	film section
Grüezi (CH)	*Grüezi, hallo, guten Tag!*	*hello (Switzerland)*
Grüß Gott (A, D-Süd)	*Grüß Gott. Ich heiße Tina.*	*hello (Austria and Southern Germany)*
Moin, moin (D-Nord)	*Moin, moin, Heiner! – Moin.*	*hello (North of Germany)*
sehen	Wir sehen einen Film im Kurs.	to see, to watch
Servus	*„Servus" heißt „hallo" und „tschüs".*	*„hi" and "bye" (mainly used in Austria and Southern Germany)*
Uf Wiederluege mitenand (CH)	*„Uf Wiederluege mitenand" sagt man zum Abschied.*	*good bye (in Switzerland)*

2

die Reportage, -n	Sehen Sie die Reportage.	report, coverage

3

der Amerikaner, - / die Amerikanerin, -nen	Aileen ist Amerikanerin.	American
die Foto-Story, -s	Sehen Sie die Foto-Story.	photo story
hier	Meine Mutter lebt hier in Wien.	here
schon	Mein Vater ist alt, er ist schon 62.	already

MODUL-PLUS PROJEKT LANDESKUNDE

1

am (+ Datum)	Sie ist am 1.6.1973 geboren.	here: on
der Chemiefacharbeiter, - / die Chemiefacharbeiterin, -nen	Er ist Chemiefacharbeiter von Beruf.	skilled chemical worker
geboren sein	Heidi Klum ist in Bergisch Gladbach geboren.	was born
die Landeskunde (Sg.)	Im Kurs lesen wir Informationen über Deutschland: Landeskunde.	cultural studies
der Manager, - / die Managerin, -nen	Er arbeitet als Manager.	manager
mehr: nicht mehr	Sie arbeitet nicht mehr.	not anymore
das Model, -s	Heidi Klum ist Model.	model
der Moderator, -en / die Moderatorin, -nen	Sie arbeitet auch als Moderatorin.	presenter
moderieren	Sie moderiert eine Show.	to present
das Projekt, -e	Wir machen ein Projekt im Kurs.	project
der Sänger, - / die Sängerin, -nen	Ich bin Sänger.	singer
seit	Seit 2005 sind sie verheiratet.	since
die Show, -s	Heidi Klum moderiert eine Show.	show
von	Heidi Klum ist die Tochter von Erna und Günther Klum.	here: of

2

deutschsprachig	Wählen Sie eine Person aus den deutschsprachigen Ländern.	German speaking
das Ergebnis, -se	Präsentieren Sie Ihre Ergebnisse im Kurs.	result
das Internet (Sg.)	Suchen Sie Informationen im Internet.	internet
das Poster, -	Machen Sie ein Poster.	poster
präsentieren	Präsentieren Sie das Poster.	to present
der / die Prominente, -n	Heidi Klum ist eine Prominente.	celebrity
der Stammbaum, ⸚e	Zeichnen Sie einen Stammbaum.	family tree
wählen	Wählen Sie eine bekannte Person aus Deutschland.	to choose, to pick
zu (etwas suchen zu)	Suchen Sie Informationen zu Familie und Beruf.	here: about

1

der Ausklang, ⁼e   Am Ende ist der Ausklang.   conclusion, final notes

(die) Niederlande
The Netherlands

(das) Belgien
Belgium

(das) Luxemburg
Luxembourg

(das) Frankreich
France

die Schweiz
Switzerland

(das) Liechtenstein
Liechtenstein

(das) Italien
Italy

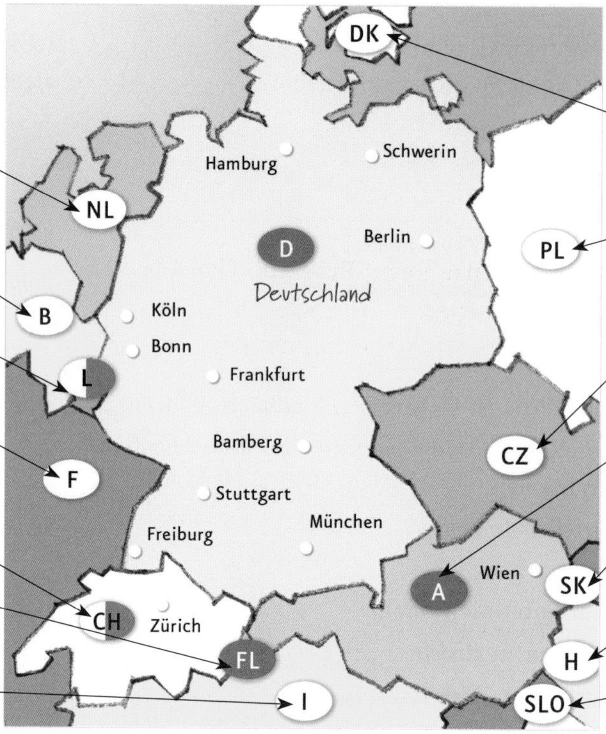

(das) Dänemark
Denmark

(das) Polen
Poland

(das) Tschechien
Czech Republic

(das) Österreich
Austria

(die) Slowakei
Slovakia

(das) Ungarn
Hungary

(das) Slowenien
Slovenia

Map labels: DK, Hamburg, Schwerin, NL, D, Berlin, Deutschland, PL, B, Köln, Bonn, L, Frankfurt, Bamberg, CZ, F, Stuttgart, München, Wien, A, SK, CH, Zürich, Freiburg, FL, H, I, SLO

2

der Buchstabe, -n	A, K, L sind Buchstaben.	letter
erinnern (sich) an	Erinnern Sie sich an Sven Henkenjohann?	to remember
erst-	Erinnern Sie sich an die Personen in den ersten Lektionen?	first
die Lektion, -en	*Wir machen jetzt bald Lektion 4.*	*chapter*
die Lösung, -en	Wie heißt die Stadt? Die Lösung ist …	answer
der Mensch, -en	Wer sind die Menschen in „Menschen"?	person
der Nachname, -n	Henkenjohann ist ein Nachname.	surname
passend	*Suchen Sie die passenden Buchstaben.*	*suitable, appropriate*

3

| der Ländername, -n | Ergänzen Sie die Ländernamen auf der Karte. | name of country |

Lektion 1: Hallo! Ich bin Nicole ...

Verbs in German and English

Verbs express **an action, a process or a state of being.** Every verb has a basic impersonal form called infinitive e.g. *arbeiten (to work), studieren (to study)* etc. Typical German ending for an infinitive is **-en**

Present tense

German has only one present tense form: **Präsens.** There is no difference if the action is expressed (in English) in present continuous, simple present or present habitual.

Maria **studiert** Architektur = *Maria* **is studying** *architecture.*
Maria **studiert** Architektur = *Maria* **studies** *architecture.*
Maria **studiert** Architektur = *Maria* **does study** *architecture.*

Present tense verb conjugation

In German, verbs normally take **personal endings** that indicate the grammatical person (1st, 2nd or 3rd person) and the number of subjects (singular or plural). A **verb conjugation** is a **list of all forms of the verb's personal endings**.

Grammatical person:
ich – *I*   du – *you*   er – *he*   sie – *she*
Sie – *formal (to one but also more than one person)*

Regular verbs

		machen	**heißen**	
singular	**ich**	mache	heiße	**-e**
	du	machst	heißt!	**-st**
	er/sie	macht	heißt	**-t**
formal	**Sie**	machen	heißen	**-en**

Other regular verbs e.g. *hören, studieren* or *danken* take the same endings as *machen.*

Nouns

Every noun begins with a capital letter, e.g.: Guten **Morgen!** *Mein* **Name** *ist Max.*

Grammar Explanations

Preposition aus

Aus (from, out of) answers the question „**woher**" (where from). In some cases the preposition is followed by a certain form of definite article.

- ■ **Woher** kommst du?
- ▲ Ich komme **aus** Österreich.
- ● Ich komme **aus der** Schweiz
- ◆ Ich komme **aus dem** Iran.
- ● Ich komme **aus den** USA.

- ■ *Where do you come from?*
- ▲ *I come **from** Austria*
- ● *I come **from** Switzerland.*
- ◆ *I come **from** Iran.*
- ● *I come **from** the United States.*

Lektion 2: Ich bin Journalistin.

Grammatical person in plural

wir – *we*, ihr – *you (more than one person, familiar)*, sie – *they*

Verb conjugation

	machen	**arbeiten**	**haben**	**sein**
ich	mache	arbeite	habe	bin
du	machst	arbeitest	hast	bist
er/sie	macht	arbeitet	hat	ist
wir	machen	arbeiten	haben	sind
ihr	macht	arbeitet	habt	seid
sie/Sie	machen	arbeiten	haben	sind

If the stem of the verb ends with **-t** the verb takes an additional **-e** in the 2nd and 3rd person singular and in the 2nd person plural e.g. ich arbeite → du arbeitest

Irregular verbs have the most stem changes in the 2nd and 3rd person singular.

The verb **sein** (to be) is an exception and hardly follows any conjugation rules.

Negation nicht

Nicht is used to negate verbs, adjectives or adverbs.

Markus studiert **nicht**.   *Markus does not study.*
Maria ist **nicht** verheiratet.   *Maria is not married.*
Isabel arbeitet heute **nicht**.   *Isabel doesn't work today.*

Grammar Explanations

Nouns

In German, all nouns have a gender. Masculine job names have their feminine equivalents. They have an **-in** ending.

Historiker (*male historian*)   Historiker**in** (*female historian*)
Student (*male student*)   Student**in** (*female student*)

Prepositions bei, als *and* in

Bei refers to where somebody works (e.g. for a certain company).
Ich arbeite **bei** Siemens.   *I work for Siemens.*

Als refers to a professional function or role like *as* in English.
Stefan arbeitet **als** IT-Spezialist.   *Stefan works **as** an IT specialist.*

In refers to location or position and answers the question *wo?* (*where?*).
Wir wohnen **in** Dortmund.   *We live **in** Dortmund.*

Numbers

Numbers 0 – 19 don't cause major problems and show similarity to English, e.g.
11 and 12 don't have the part **zehn** (means *ten*, but is an equivalent of *teen*).
13 - 19 consist of numbers 3 - 9 and the part **zehn**. **Sech**zehn and **sieb**zehn are shorter.

0 null	5 fünf	10 zehn	15 fünfzehn
1 eins	6 sechs	11 **elf**	16 **sech**zehn
2 zwei	7 sieben	12 **zwölf**	17 **sieb**zehn
3 drei	8 acht	13 dreizehn	18 achtzehn
4 vier	9 neun	14 vierzehn	19 neunzehn

Tens are built with the ending **-zig** (drei**ß**ig is the only exception)

20 zwanzig	50 fünfzig	80 achtzig
30 dreißig	60 **sech**zig	90 neunzig
40 vierzig	70 **sieb**zig	

Major difficulties are caused by **tens and units,** because they are formulated "backwards" and connected by **und**:

21 ein**und**zwanzig   32 zwei**und**dreißig   43 drei**und**vierzig

Lektion 3: Das ist meine Mutter.

Word order in statements, closed (yes / no) and open questions (W-questions)

In statements and open questions, the verb is located in the **second** position.

Ich **bin** Nicole. Das **ist** Markus.   Ich **komme** aus Österreich. Er **kommt**
Wer **bist** du?   aus Mexiko. Woher **kommst** du?

Grammar Explanations

In closed questions the subject – verb order used in statements is inverted:
Sind Sie Frau Rode? **Kommen** Sie aus Mexiko?

Open questions (or W-questions) begin with W-question tags:

Wer ist das?	*Who is it?*
Was ist das?	*What is it?*
Woher kommst du?	*Where do you come from?*

Ja – Nein – Doch

Ja answers closed questions positively and **nein** negatively:

Sind Sie Herr Rode?	**Ja**, ich bin Herr Rode.
Sind Sie Frau Rode?	**Nein**, ich bin nicht Frau Rode. Ich bin Frau Wagner.

Doch (*on the contrary*) contradicts closed questions with negation included:
Kommen Sie **nicht** aus Mexiko?   **Doch**, ich komme aus Mexiko!

Verbs with a vowel change

Many irregular verbs have a vowel change in the second and third person singular.
For example it can be a change from **e** to **i**, like in **sprechen**

singular	ich	spreche
	du	sprichst
	er/sie	spricht

Welche Sprachen **sprichst** du?	*What languages do you speak?*
Ich **spreche** Deutsch und Englisch.	*I speak German and English.*

Possessiv pronouns

Possessiv pronouns change according to a noun's gender and number. Feminine words
and all plural forms have an ending **-e**

Wie heißt **dein** Bruder?	*How is **your** brother called?*
Mein Bruder heißt Max.	***My** brother is called Max.*
Ist **deine** Schwester verheiratet?	*Is **your** sister married?*
Nein, **meine** Schwester ist nicht verheiratet.	*No, **my** sister is not married.*
Sind das **deine** Kinder?	*Are these **your** children?*
Ja, das sind **meine** Kinder.	*Yes, these are **my** children.*

	masculine	feminine	plural
ich	**mein** Bruder	**meine** Schwester	**meine** Geschwister
du	**dein** Bruder	**deine** Schwester	**deine** Geschwister

Language and culture are interrelated and learning a new language also means learning about the cultural context in which the language occurs. In this part, we will give you a general cultural introduction to life in German-speaking regions which will help you to improve your intercultural communicative skills.

Introducing Oneself and Others

In the course book, we have already looked at different ways of introducing oneself. It is important to know that Germans like handshaking. One or two kisses on the cheeks or hugs are, generally speaking, used for close friends and family only.

The following expressions are common when introducing oneself:

Ich bin John Brown.	*I am John Brown.*
Ich heiße Mark Smith.	*My name is Mark Smith. (Literally: I am called ...)*
Mein Name ist Tom Lee.	*My name is Tom Lee.*

In official situations (e.g. at the workplace), it is common to give the surname only: *Brown, Smith ...*

Depending on whether it is a formal or an informal situation, you will use different forms of asking for someone's name. In a formal context, you can use either one of the following expressions which mean: 'What is your name?'

Wie heißen Sie?	*Literally: What are you called?*
Wie ist Ihr Name?	*What is your name?*

In a less formal situation, people will use either one of the two following equivalent expressions which mean: 'What is your name?'

Wie heißt du?	*Literally: What are you called?*
Wer bist du?	*Literally: Who are you?*

When introducing others, you can simply say:

Das ist ...	*That is ...*

Then you add the name of the person. In circumstances where you would like to explain your relationship further you might say:

Das ist mein Freund (my friend), *meine Schwester* (my sister) ...

There is no real equivalent for the English 'Nice to meet you' in the German language. In a formal context, one might reply with *Sehr erfreut!* or *Freut mich!* whereas in a less formal situation it is common practice to simply reply with *Hallo* or *Guten Tag.*

Cultural Studies

Greetings and Farewells

In general, which greeting is being used depends on the time of the day. Until approximately 10 a.m., *Guten Morgen* is the most common greeting. Afterwards, *Guten Tag* is said up until around 5 or 6 p.m. However, in Austria and in Southern Germany *Grüß Gott* ('May God greet you') is widely used and in Switzerland you will hear the Swiss equivalent *Grüezi* which simply means 'Greetings'. In the evening, after 5 or 6 p.m., the greeting *Guten Abend* is used and before going to bed people will say *Gute Nacht*.

In a more informal context and especially among younger people, it is nowadays common practice to simply say *Hallo*. There are also numerous other informal and regional ways of greeting each other such as for example *Hi* (very common among young people) or *Servus* (popular informal greeting in Austria which can be used for either 'Hello' or 'Goodbye').

Auf Wiedersehen is the standard expression for saying goodbye in a formal context, e.g. in a work environment. The equivalent *Auf Wiederschauen* is predominantly used in Austria and the South of Germany.

On the phone, this common farewell is replaced by *Auf Wiederhören*, which literally means 'Until we hear from each other again'. It is common practice to answer the phone with your surname in a private household (although recently the greeting *Hallo* has become more regular) and the company name, then surname when answering the phone in a company.

In less formal situations, people will most commonly use *Tschüss* (also spelled *Tschüs*). The Italian greeting *Ciao* is becoming increasingly popular all over German-speaking areas and Austrians also like the expression *Baba* (soft pronunciation sound).

In English, the expression 'See you later' is a widely used expression of farewell. However, the German equivalent *Bis später* is only really used if you are actually intending on seeing someone again later on that same day.

When to use du and Sie?

In the German language, there are two different ways of expressing the English pronoun 'you' and it takes a bit of practice to figure out which one to use. Generally speaking, *Sie* (note the capital at the beginning) is used in formal contexts such as business relations and work environments, when talking to foreigners and in official or professional situations. The informal *du* is reserved for friends and family and is also common practice among young people. However, there are many situations when it is unclear whether to use *du* or *Sie* and an inappropriate use may be seen as disrespectful. Therefore, generally speaking, the rule is – if in doubt, one should always use the formal *Sie*.

Lektion 4: Der Tisch ist schön!

1

zeigen	Zeigen Sie die Möbel auf dem Foto.	to show

2

groß	Der Tisch ist zu groß.	big
klein	Das Bett ist zu klein.	small
modern	Die Lampe ist modern.	modern
praktisch	Der Tisch ist praktisch.	practical
schlecht	Das Bett ist nicht schlecht.	bad
zu	Der Tisch ist zu groß.	here: too

BILDLEXIKON

die Lampe, -n
lamp
das Sofa, -s
sofa
die Couch, -s
couch
der Tisch, -e
table
der Stuhl, ¨e
chair

das Bett, -en
bed
der Schrank, ¨e
cupboard
der Sessel, -
armchair
der Teppich, -e
rug

3

aber (Modalpartikel)	Das ist aber teuer!	but (modal particle)
billig	119 Euro? Das ist billig.	cheap
brauchen	Brauchen Sie Hilfe?	to need
der Designer, -	*Der Designer heißt Enzo Carotti.*	*designer*
der Euro, -s	Der Tisch kostet 1 478 Euro.	euro
günstig	Die Lampe ist sehr günstig.	low in price, cheap
nur	Sie kostet nur 119 Euro.	only
ordnen	Ordnen Sie die Sätze.	to put in order
passen	Was passt?	to match
das Sonderangebot, -e	Die Lampe ist ein Sonderangebot.	bargain offer
teuer	1 478 Euro? Das ist aber teuer!	expensive
wirklich	Die Lampe ist wirklich sehr schön.	really

4

der Artikeltanz, ¨e	*Artikeltanz: Hören Sie die Nomen und tanzen Sie.*	*article dance*
das Nomen, -	*Hören Sie die Nomen und tanzen Sie.*	*noun*

tanzen	Tanzen Sie!		to dance

TIPP Always learn German nouns and articles together.
Use different colours for different genders.

• Lampe

• Tisch

• Sofa

5

die Zahlenschlange, -n	Ergänzen Sie die Zahlenschlange.	sequence of numbers
die Million, -en	eine Million in Zahlen: 1 000 000	million

6

der Cent, -s	100 Cent sind 1 Euro.	cent
das Möbelhaus, ⸚er	Sie haben ein Möbelhaus.	furniture store

7

das Puzzle, -s	Setzen Sie das Puzzle zusammen.	puzzle
zusammen·setzen	Setzen Sie das Puzzle zusammen.	to assemble

8

lang	Das Bett ist zu lang.	long
leicht (einfach)	Die Aufgabe ist leicht.	easy
das Problem, -e	Was ist das Problem?	problem
schwer	Die Aufgabe ist zu schwer.	here: difficult

9

hässlich	Ich finde Zimmer A hässlich.	ugly
das Hotelzimmer, -	Wie finden Sie die Hotelzimmer?	hotel room
nicht mehr	Der Schrank ist nicht mehr modern.	not anymore
das Zimmer, -	Ich finde Zimmer A schön.	room

10

der Kaffee, -s	Kaffee? – Nein, danke.	coffee
machen	Das macht dann 9 Euro 95.	here: referring to money as in "it comes to" or "totals"
die Muttersprache, -n	Übersetzen Sie in Ihre Muttersprache.	mother tongue
übersetzen	Übersetzen Sie die Gespräche.	to translate
vielen Dank	Vielen Dank! – Bitte.	thank you very much

LERNZIELE

das Adjektiv, -e	Adjektive: schön, groß, modern	adjective
an·bieten	Hilfe anbieten: Brauchen Sie Hilfe?	to offer

das Beratungs- gespräch, -e	Beratungsgespräch: Brauchen Sie Hilfe? – Ja, bitte.	counselling interview/ session
bewerten	*Bewerten Sie den Tisch! – Er ist schön.*	*to evaluate*
der definite Artikel, -	● *der,* ● *das,* ● *die*	*definite article*
denn (Modalpartikel)	Wie viel kostet denn der Tisch?	then (intensifying term in questions)
es	das Bett: Es kostet …	it
kosten	Wie viel kostet das Bett?	to cost
die Möbel (Pl.)	Wie heißen die Möbel auf Deutsch?	furniture (pl.)
nennen	Nennen Sie die Wörter auf Deutsch.	to name
das Personalpronomen, -	● *er,* ● *es,* ● *sie*	*personal pronoun*
der Preis, -e	Fragen Sie nach dem Preis.	price
schön	Das finde ich schön.	beautiful

GRAMMATIK & KOMMUNIKATION

neutral	*neutral:* ● *das Bett,* ● *das Bild, …*	*neutral*
der Nominativ, -e	*Nominativ Singular:*	*nominative*
	● *maskulin (der Tisch),*	
	● *neutral (das Bett),*	
	● *feminin (die Lampe)*	

Lektion 5: Was ist das? – Das ist ein F.

1

der Augenarzt, ⸚e	Frau Paulig ist beim Augenarzt.	ophthalmologist, eye specialist

BILDLEXIKON

der Bleistift, -e	Was kostet der Bleistift?	pencil
die Brille, -n	Die Brille ist rot.	glasses (pl.)
das Buch, ⸚er	Wie heißt das Buch?	book
das Feuerzeug, -e	Das ist ein Feuerzeug.	lighter
die Flasche, -n	Und das ist eine Flasche. Sie ist grün.	bottle
der Fotoapparat, -e	Was ist das? – Ein Fotoapparat.	camera
die Kette, -n	Das ist eine Kette.	necklace
der Kugelschreiber, -	Was kostet der Kugelschreiber?	ballpoint pen
der Schlüssel, -	Der Schlüssel ist aus Metall.	key
die Tasche, -n	Die Tasche ist blau.	bag

blau ●	blue	orange ●	orange
braun ●	brown	rot ●	red
(dunkel-)grün ●	dark green	schwarz ●	black
gelb ●	yellow	weiß ○	white
grün ●	green		

2

an (lokal)	Zeichnen Sie Gegenstände an die Tafel.	on (local)
der Comic, -s	*Lesen Sie den Comic.*	comic
die Tafel, -n	Schreiben Sie an die Tafel.	board, blackboard
wie (so wie)	Spielen Sie wie im Comic.	here: as

3

aus	Die Brille ist aus Kunststoff.	here: made of
bekommen	Sie bekommen das Modell in drei verschiedenen Farben.	to get, to receive
das Brillenmodell, -e	*Optik Eicher hat mehr als 2 000 Brillenmodelle.*	model of glasses, style of glasses
die Designer-Brille, -n	*Unsere Frühjahrs-Aktion: Designer-Brillen zu Super-Preisen.*	designer/branded glasses
das Designer-Modell, -e	*Das Designer-Modell „1-4-you" ist aus Kunststoff.*	designer/branded model
eckig	Eckig ist modern! ☐	angular, angular shaped
elegant	*Unsere Brillen sind sehr elegant.*	elegant
extrem	*Die Brille „ECO7" ist extrem sportlich.*	extreme
die Frühjahrs-Aktion, -en	*Unsere Frühjahrs-Aktion: günstige Brillen.*	spring sales campaign
das Frühlings-Angebot, -e	*Das Optik-Eicher-Frühlings-Angebot: nur 179 Euro.*	spring offer
für	Optik Eicher hat viele Brillenmodelle für Sie auf Lager.	for
der Gegenstand, ⸚e	Zeichnen Sie Gegenstände aus dem Bildlexikon.	item
das Gestell, -e	*Das Gestell ist rund.*	here: frame
das Glas , ⸚er	Flaschen sind aus Glas.	glass
das Holz, ⸚er	Der Tisch ist aus Holz.	wood
immer	Wir haben immer viele Brillenmodelle auf Lager.	always
der Klassiker, -	*Sie ist ein Klassiker unter den Designer-Brillen.*	classic
die Kombination, -en	*Sie bekommen die Brille in der Kombination braun-orange.*	combination
der Kunststoff, -e	Das Designer-Modell ist aus Kunststoff.	synthetic material, plastic
das Lager, -	Optik Eicher hat viele Brillenmodelle auf Lager.	stock
leicht (Gewicht)	Eine Brille aus Kunstoff ist sehr leicht.	leight (weight)
mehr als	Optik Eicher hat mehr als 2 000 Brillenmodelle für Sie.	more than
das Metall, -e	Die Brille von Elisabetta Caratti ist aus Metall.	metal

modisch	Wir verkaufen die Brille in sechs modischen Farben.	*fashionable, trendy*
ob	Ob aus Kunststoff oder Metall: alle Brillen nur 179 Euro.	here: whether
ohne	Die Brille kostet 129 Euro ohne Gläser.	without
die Optik (Sg.)	Optik Eicher hat eine Frühjahrs-Aktion.	optics
das Papier, -e	Papier ist ein Material.	paper
das Plastik (Sg.)	Flaschen sind aus Glas oder Plastik.	plastic
rund	Die Brille ist rund. ○	round
sportlich	Das Brillenmodell ist extrem sportlich.	sporty
die Super-Brille, -n	Wir haben Super-Brillen zum Super-Preis.	super glasses
der Super-Preis, -e	Wir haben Super-Brillen zum Super-Preis.	super price
der Top-Designer, - / die Top-Designerin, -nen	Elisabetta Caratti ist eine Top-Designerin.	*top designer*
unser	Unser Super-Preis: 129 Euro.	our (possessive article)
verkaufen	Wir verkaufen alle Brillen extrem günstig.	to sell
verschieden-	Sie bekommen die Brille in verschiedenen Farben.	different
zusammen·gehören	Was gehört zusammen?	to belong together

TIPP Draw pictures when learning new words.

● rund
■ eckig

5

am meisten	Wer bietet am meisten?	the most
die Auktion, -en	Spielen Sie die Auktion.	*auction*
die Beschreibung, -en	Beschreibung: Designer-Tasche ...	description
bieten	Beschreiben Sie Ihr Produkt, die anderen bieten.	here: to bid
die Designer-Tasche, -n	Hier: eine Designer-Tasche von Mark Mitschki ...	*designer bag*
die Eigenschaft, -en	Eigenschaften: schön, modern, ...	characteristic
das Etikett, -e	Zustand: neu – mit (Preis-)Etikett!	*label*
exklusiv	Die Tasche ist exklusiv aus Paris.	*exclusive*
die Kurs-Auktion, -en	Machen Sie eine Kurs-Auktion.	*auction in class*
der Kursraum, ⸚e	Wählen Sie im Kursraum einen Gegenstand.	classroom
die Marke, -n	Die Marke? Mark Mitschki.	brand
möchten	Was möchten Sie versteigern?	would like (to), wish
neu	Die Tasche ist neu.	new
das Produkt, -e	Beschreiben Sie das Produkt.	product
das Produktmerkmal, -e	Produktmerkmale: Kette, aus Plastik, modern, ...	aspect of a product
der Startpreis, -e	Der Startpreis ist nur 1 Euro.	starting price
versteigern	Was möchten Sie versteigern?	*to auction*

wichtig	Notieren Sie wichtige Informationen.	important
der Zustand (Sg.)	Zustand: neu	condition

alle	man = jeder/alle	all, everybody
bitte schön	Danke. – Bitte schön.	here: you are welcome
die Entschuldigung, -en	Entschuldigung, wie heißt das auf Deutsch?	excuse
jeder	man = jeder/alle	everyone
man	Wie schreibt man „Uhr"?	one
das Pronomen, -	*Markieren Sie das Pronomen.*	*pronoun*
die Uhr, -en	Die Uhr ist braun.	watch

die Adresse, -n	Die Adresse von Markus Bäuerlein ist: Bismarckstraße 18, 53113 Bonn.	address
die Anrede (Sg.)	*Anrede: Frau Paulig.*	*form of address*
bestellen	Welche Uhr möchten Sie bestellen?	to order
die Bestellnummer, -n	Die Bestellnummer ist 08-242.	order code
die Bestellung, -en	Ergänzen Sie die Bestellung.	order
digital	*Die Wanduhr ist digital.*	*digital*
die E-Mail, -s	Svens E-Mail-Adresse: sven@galaxyst.com	e-mail
das Fax, -e	Wie ist die Faxnummer?	fax
das Geburtsdatum, -daten	Das Geburtsdatum von Heidi Klum ist 01.06.1973.	date of birth
die Hausnummer, -n	Meine Hausnummer ist 12.	house number
die Kuckucksuhr, -en	*Kuckucksuhren sind aus Holz.*	*cuckoo clock*
die Menge, -n	Welche Menge möchten Sie bestellen?	quantity
persönlich	Ergänzen Sie Ihre persönlichen Angaben.	personal
PLZ (die Postleit-zahl, -en)	Die Postleitzahl ist 53113.	postcode
der Produktname, -n	Wie ist der Produktname?	product name
rückwärts	Die Uhr rückwärts kostet 25,00 Euro.	backwards
die Straße, -n	Die Straße heißt Bismarckstraße.	street
die Wanduhr, -en	Die Wanduhr bekommen Sie in verschiedenen Farben.	wall clock

LERNZIELE

aus·füllen	Füllen Sie das Formular aus.	to fill in
bedanken (sich)	Bedanken Sie sich. – Danke!	to thank
beschreiben	Beschreiben Sie „Ihr" Produkt.	to describe

die Brille, -n	Die Brille ist rot.	glasses (pl.)
das Ding, -e	Eine Brille ist ein Ding.	thing
die Farbe, -n	Rot ist eine Farbe. ●	colour
die Form, -en	Welche Form hat die Brille?	form
das Formular, -e	Füllen Sie das Formular aus.	(printed) form
der indefinite Artikel, -	*indefiniter Artikel: ● ein, ● ein, ● eine*	*indefinite article*
das Material, -ien	Material: Holz, Metall, Kunststoff, …	material
der Negativartikel, -	*Negativartikel: ● kein, ● kein, ● keine*	*negative article*
die Produktinforma-tion, -en	Schreiben Sie eine Produktinformation zu Ihrer Brille.	product information

GRAMMATIK & KOMMUNIKATION

darauf	*Bedanken Sie sich und reagieren Sie darauf.*	*thereupon, thereafter*
gern	Danke. – Bitte, gern.	gladly (when used with a verb: to like to do that activity)
reagieren	Bedanken Sie sich und reagieren Sie darauf.	to react (to sth.)

Lektion 6: Ich brauche kein Büro.

1

der Arbeitsplatz, ⸚e	Der Arbeitsplatz ist schön.	workplace
dies-	Wie finden Sie diesen Arbeitsplatz?	this

2

die Firma, Firmen	Wie heißt die Firma? – Brenner IT-Consulting.	company
der Gruß, ⸚e	Schöne Grüße von Christian.	greeting
heute	Sie haben heute drei Termine.	today
der Termin, -e	Sie haben neue Termine.	appointment
Uhr (13 Uhr)	Sie haben drei Termine: 14 Uhr, 16 Uhr und 17 Uhr.	clock (1pm)

BILDLEXIKON

die Briefmarke, -n	Die Pluralform von „Briefmarke" ist „Brief-marken"	stamp
die Rechnung, -en	Wo sind die Rechnungen?	bill

der Kalender, -
  calender
der Bildschirm, -e
  screen
die Maus, ⸚e
  mouse (computer
  mouse)
der Computer, -
  computer

der Drucker, -
  printer
das Telefon, -e
  phone
das Notizbuch, ⸚er
  diary, notebook
der Stift, -e
  pen
das Handy, -s
  mobile phone

3

| wollen | Frau Feser und Herr Brenner wollen Christian sprechen. | to want (to) |
| die Zeit: Zeit haben | Christian hat keine Zeit für Eva. | time |

4

| der Chef, -s / die Chefin, -nen | Herr Brenner ist der Chef. | boss |
| der Stress (Sg.) | Christian hat am See nur Stress. | stress |

> **TIPP** When learning a new noun, always memorize the plural form as well.

• Stift – die Stifte

6

die Pluralform, -en	Suchen Sie die Pluralform im Wörterbuch.	plural form
sammeln	Sammeln Sie die Wörter an der Tafel.	to collect
der Unterschied, -e	Finden Sie die Unterschiede.	difference

8

drucken	Ich drucke im Büro.	to print
die Endung, -en	Ergänzen Sie die Endungen.	ending
der Fragebogen, ⸚	Füllen Sie den Fragebogen aus.	questionnaire

9

der Anruf, -e	Christian Schmidt bekommt einen Anruf.	phone call
der Ball, ⸚e	Werfen Sie einer Person den Ball zu.	ball
erzählen	Erzählen Sie: Wie meldet man sich in Ihrem Land?	to tell, to narrate
melden (sich)	Wie melden Sie sich?	here: to answer
die Telefon-nummer, -n	In England sagt man nur die Telefonnummer.	phone number
zu·werfen	*Werfen Sie einer Person den Ball zu.*	*to throw sth to so.*

LERNZIELE

der Akkusativ, -e	*Akkusativ: Ich habe einen Laptop.*	*accusative*
das Büro, -s	Ich brauche kein Büro.	office
der Laptop, -s	*Ich habe einen Laptop.*	*laptop*
der See, -n	Der Mann arbeitet am See.	lake
die SMS, -	*Lesen Sie die SMS.*	*text message*
das Telefonge-spräch, -e	Hören Sie das Telefongespräch.	phone conversation
die Telefonstrategie, -strategien	*Telefonstrategie: Guten Tag, hier ist …*	*strategy on the phone*
das Wiederhören	Auf Wiederhören!	good bye (on the phone, literally "until I hear you again")

MODUL-PLUS LESEMAGAZIN

1

der Autor, -en / die Autorin, -nen	Claudio Danzer arbeitet als Autor.	author
cool	*Ist meine Uhr nicht cool?*	*cool*
doch (Modalpartikel)	Die Farbe ist doch sehr hübsch, oder?	does not translate literally, here: used to add emphasis to a statement
einfach	Meine Uhr ist einfach und praktisch.	simple
die Männeruhr, -en	Das ist eine Männeruhr.	masculine-style watch
na ja	*Meine Uhr ist schön. Na ja, okay, sie ist schon alt.*	*well*
die Psychologie (Sg.)	*Theresa studiert Psychologie.*	*psychology*
das Stück, -e	Ich habe viele Uhren, sieben oder acht Stück.	piece, item
(das) Südkorea	*Meine Eltern kommen aus Südkorea.*	*South Korea*
toll	Ich finde meine Uhr toll.	great

MODUL-PLUS FILM-STATIONEN

1

bei (+ Person)	Anne und Patrick sind beim Trödler.	here: at (dative)
cm	Das Bild ist 53 x 43 cm groß.	cm
der Trödler, -	Sie kaufen ein Bild beim Trödler.	second-hand dealer
der Zentimeter, -	Wie viel Zentimeter sind das?	centimeter

2

das Bierglas, ⸚er	Das Bierglas ist groß.	beer glass
das Handtuch, ⸚er	Das Handtuch ist rot.	towel
der König, -e/ die Königin, -nen	Das ist ein König.	king/queen
die Postkarte, -n	Ist das eine Postkarte?	postcard
die Puppe, -n	Die Puppe ist klein.	doll
der Regenschirm, -e	Der Regenschirm ist grün.	umbrella
der Schlüsselanhänger, -	Der Schlüsselanhänger ist schön.	keyring
das Souvenir, -s	Das ist ein König-Ludwig-Souvenir.	souvenir
die Tasse, -n	Die Tasse ist aus Plastik.	cup
der Teller, -	Der Teller ist rund.	plate
das T-Shirt, -s	Das T-Shirt ist schwarz.	T-shirt

MODUL-PLUS PROJEKT LANDESKUNDE

1

ab	Der Nachtflohmarkt ist ab 16 Uhr.	from … onwards
der Aufbau (Sg.)	Der Aufbau ist ab 13 Uhr.	set-up, installation
der Besucher, -	2 000 Besucher kommen zu dem Event.	visitor
bis (12 Jahre)	Kinder bis 12 Jahre frei	here: up to
der Eintritt, -e	Der Eintritt kostet 2 Euro.	entrance fee
der Flohmarkt, ⸚e	Der Flohmarkt ist am Samstag, 21.05.	flea market, car boot sale
frei	Der Eintritt ist frei.	free
geöffnet	Der Flohmarkt ist von 16 bis 24 Uhr geöffnet.	open
der Händler, -	Die Händler verkaufen ihre Waren auf dem Flohmarkt.	trader
die Kleidung (Sg.)	Auf dem Flohmarkt finden Sie Kleidung und vieles mehr.	clothes (pl.)
der Meter, -	Standpreise: 7 Euro pro Meter	meter
mit·bringen	Tische bitte selbst mitbringen!	to bring along
der Nachtflohmarkt, ⸚e	In Leipzig ist der Nachtflohmarkt Tradition.	night flea market
die Neuware, -n	Auf dem Flohmarkt findet man keine Neuware.	new goods
die Nummer, -n	Der Nachtflohmarkt ist die Nummer eins in Sachsen.	number
pro	7 Euro pro Meter	per

der Standpreis, -e	Standpreise: 7 Euro pro Meter	price for a stand
stöbern	Stöbern Sie gern?	to rummage
die Tradition, -en	Der Flohmarkt ist Tradition in Leipzig.	tradition
der/das Trödel-Event, -s	Mehr als 2 000 Besucher kommen zu dem Trödel-Event.	second-hand event
der Trödelmarkt, ⁼e	= Flohmarkt	flea market, car boot sale
der Veranstaltungs-hinweis, -e	Lesen Sie den Veranstaltungshinweis.	event information
die Ware, -n	Die Händler verkaufen ihre Waren von 16 bis 24 Uhr.	goods (pl.)
zwischen	Zwischen 2 000 und 3 000 Besucher kommen.	between, among

2

das Beispiel, -e	Schreiben Sie eine Produktbeschreibung wie im Beispiel.	example
der Fehler, -	Der Kugelschreiber macht keine Fehler.	mistake, error
der Klassenflohmarkt, ⁼e	Machen Sie einen Klassenflohmarkt.	flea market in class
na gut	Sagen wir 4 Euro? – Na gut, okay.	very well, well, all right, fair enough
die Produktbeschrei-bung, -en	Schreiben Sie eine Produktbeschreibung.	product description

MODUL-PLUS AUSKLANG

1

alles	Wir finden alles.	everything
da	Wir suchen hier. Wir suchen da.	here: there
danke sehr	Wir brauchen keine Hilfe, danke sehr.	thank you
ja (Modalpartikel)	Das ist ja klar.	yes, certainly (modal particle used to emphasize the message)
klar	Das ist klar.	clear, obvious
lernen	Wir lernen Deutsch.	to learn
schnell	Wir lernen schnell.	fast, quick

2

mit·singen	Singen Sie mit.	to sing along

Grammar Explanations

Lektion 4: Der Tisch ist schön!

Definite article der / das / die

A **definite article** is used before a noun that refers to a **particular** person, place, animal, thing or idea. In English, there is one definite article **the**. In German, there are three definite article forms for singular and one common for plural.

Der Tisch ist klein.	*The table is small.*
Das Bett ist groß.	*The bed is big.*
Die Lampe ist schön.	*The lamp is beautiful.*

In German, **every noun has a gender**. Things, animals, places or ideas are not automatically neutral. For example the table is masculine → der Tisch, the bed is neutral → das Bett and the lamp is feminine → die Lampe. The article must agree with the gender.

In plural the gender doesn't cause any difficulties. The article **die** is used with masculine, neuter and feminine plural nouns.

Die Tische sind klein.	*The tables are small.*
Die Betten sind groß.	*The beds are big.*
Die Lampen sind schön.	*The lamps are beautiful.*

	masculine	neutral	feminine
singular	der	das	die
plural	die	die	die

Personal pronoun er / es / sie

In English, referring to one thing, animal or idea, we use the pronoun **it**. In German the pronoun we use depends on the noun's gender.

	masculine	neutral	feminine
definite article	der	das	die
personal pronoun	er	es	sie

Der Tisch ist modern. **Er** kostet 120 Euro.	*The table is modern. It costs 120 euros.*
Das Bett ist praktisch. **Es** kostet 200 Euro.	*The bed is practical. It costs 200 euros.*
Die Lampe ist schön. **Sie** kostet 50 Euro.	*The lamp is beautiful. It costs 50 euros.*

Numbers 100 – 1 000 000

In all numbers over one hundred all tens and units are also always read "backwards" and connected by *und*. There is no other "and" part connecting any numbers. Numbers up to one million are written together as one word.

100 (ein)hundert
105 (ein)hundertfünf (*no "and"!*)
123 (ein)hundert**dreiundzwanzig**

1000 (ein)tausend
12**34** (ein)tausendzweihundert**vierunddreißig**
23 456 dreiundzwanzigtausendvierhundertsechsundfünfzig

1 000 000 eine Million (*separate word, capital letter!*)

Prices

Writing and reading prices is the same as in English. *Euro* is written after the complete amount (euros and cents), but read after euros, before cents.

9.99 Euro → neun **Euro** neunundneunzig

Particle denn

If **denn** appears in a question, it has no meaning on its own. It indicates a real interest of the person asking the question and makes the question sound friendlier.

Wie viel kostet **denn** die Lampe?   *How much does the lamp cost?*

Lektion 5: Was ist das? Das ist ein F.

Indefinite article ein / eine

An **indefinite article** is used before a noun that refers to an **unspecified** person, thing, animal, place or idea. The article has to agree with the noun's gender. In plural there is no indefinite article.

Das ist **ein** Tisch.	*This is a table.*	Das sind Tische.	*These are tables.*
Das ist **ein** Bett.	*This is a bed.*	Das sind Betten.	*These are beds.*
Das ist **eine** Lampe.	*This is a lamp.*	Das sind Lampen.	*These are lamps.*

	masculine	neutral	feminine
singular	ein	ein	eine

Sometimes there is a difference between English and German, **when** we use the article and when we don't. For example referring to professions:

| Ich bin Journalistin. | *I am **a** journalist.* |
| Er ist Architekt. | *He is **an** architect.* |

Grammar Explanations

Negative article kein/e

To negate an unspecified noun, we use the negative form **kein** or **keine**.
It looks like a modified indefinite article (with „k" in front).

The negative article has to agree with the noun's gender. The negative article has a plural form!

Das ist **kein** Tisch!   *This is **not a** table!*
Das ist **kein** Bett!   *This is **not a** bed!*
Das ist **keine** Lampe!   *This is **not a** lamp!*

	masculine	neutral	feminine
singular	kein	kein	keine
plural	keine	keine	keine

„Heißen" in a different meaning than "to be called"

Heißen not only refers to a name, it can also refer to the meaning.

Was **heißt** das auf Deutsch?   *What does it **mean** in German?*

Lektion 6: Ich brauche kein Büro.

Singular and plural

In German, some nouns form their plural like in English by adding **-s**. But most nouns form their plural in different ways. The best way is always to check in a dictionary and then learn the noun together with the article and the plural form.

plural forming	Singular	Plural
-s	das Sofa	die Sofa**s**
-(e)n	die Uhr	die Uhr**en**
-e	der Stift	die Stift**e**
⁔e	der Schrank	die Schr**ä**nk**e**
-er	das Bild	die Bild**er**
⁔(e)r	das Buch	die B**ü**ch**er**
- (no change)	der Kalender	die Kalender
⁔ (Umlaut only)	die Mutter	die M**ü**tter

Grammar Explanations

Accusative

Accusative is one of the four German cases. A **case** indicates how certain words, e.g. nouns, function within the sentence. Accusative case identifies **direct object** of the action in the sentence. We can ask **was?** (what) or **wen?** (whom) for the object.

Ich brauche **einen Laptop**.	*I need a laptop. (I need … what?)*
Ich suche **den Arzt**.	*I am looking for the doctor. (I am looking for … whom?)*
Ich habe **keinen Drucker**.	*I don't have a printer. (I don't have … what?)*

A case can change the article form. The change affects definite articles, indefinite articles and also negative articles. Accusative case changes only the masculine articles in singular. Feminine, neutral and plural forms remain unchanged.

	definite article	indefinite article	negative article
masculine	**den**	**einen**	keinen
neutral	das	ein	kein
feminine	die	eine	keine
plural	die	-	keine

Cultural Studies

Family Life

In the wake of social change, German family structures and forms have altered dramatically. Nonetheless, family and family life are still of fundamental importance to the majority of people and young people especially value family highly and have close bonds with their parents and siblings.

Families on the whole have become a lot smaller in the past decades and families with one or two children are the norm in Germany. More than 65% of mothers are in employment and the father as the main breadwinner is no longer the traditional role model.

Many different forms of cohabitation exist with single parents and patchwork families on the rise. Living together without actually being officially married is particularly popular with young people and also with those whose marriage has failed, while the number of people living alone is increasing steadily.

Working Life

Germany is one of the largest economies in the world and, generally speaking, the Germans are considered to be hard-working people. On average, Germans work 37.7 hours per week which is in line with most other Western European countries. However, when Germans are at work, they are generally expected to work hard and not to waste time chatting with colleagues, taking long breaks or spending personal time online.

A typical work day in German speaking countries starts earlier – and ends earlier – than in many other countries: the average working day starts at 8 a.m. and finishes around 4.30 p.m. The lunch break lasts on average about 30 minutes and many people have their break in the company cafeteria where they are entitled to subsidized meals.

The German word *Feierabend* means the end of the workday and in the German language it is common to wish someone *Schönen Feierabend!* ‚*Have a nice Feierabend*‘, when leaving the workplace.

German across Europe

Where is German spoken?

German is the most widely spoken native language in the European Union with an estimated 100 million native speakers. Globally, German belongs to the world's major languages.

Most of these German speakers live in Germany – approximately 82 million. Around 8.5 million German-speakers live in Austria, and approximately 65 % of the 8 million Swiss people also have German as a mother tongue.

The small state of Liechtenstein situated between Switzerland and Austria with a population of 36,000 has German as its official language and in Luxembourg, a high proportion of the population speaks German as their native tongue. In Belgium, German is an official language with minority status alongside Dutch and French. Another region where the German language has official status is South Tyrol (Südtirol) in the North of Italy. Historically, this part of Northern Italy bordering on Austria was a part of Austria until 1919, when Italy annexed the region. Also in Denmark, German is a co-official language spoken by ethnic minorities.

In many Eastern European countries, e.g. Poland, Romania, Hungary, the Czech Republic, and most importantly Russia, we also find high numbers of German native-speakers and German is often recognized as a minority language.

The standard variation of German is referred to as *Hochdeutsch*. It is used as the written language for communication between different dialectal areas, taught in schools and to foreigners and generally more common in formal situations in business or academic life. It is however worth noting that there exist many different variations of spoken German and many German speakers use a dialect which varies from area to area in their day-to-day life. There are many differences not only in vocabulary and pronunciation but also in grammar.

Germany, Austria and Switzerland

In terms of population Germany, with its 82 million inhabitants, is by far the largest country in the EU. It is situated in the centre of Europe and bordered by nine countries: Poland and the Czech Republic to the east, Austria and Switzerland to the south, France, Luxembourg, Belgium and The Netherlands on the western side and Denmark to the north. It is a federal republic and consists of 16 states, called *Bundesländer*.

Cultural Studies

Berlin, located in the north-eastern part of the country, is the capital and also the largest city with a population of around 3.3 million. Germany is a modern, cosmopolitan country with a high number of well educated people and a high standard of living.

The republic of Austria is a landlocked country in Central Europe bordered by the Czech Republic and Germany to the north, Hungary and Slovakia to the east, Slovenia and Italy to the south and Switzerland and Liechtenstein to the west. It is a federal republic with a population of around 8.5 million people and comprises nine *Bundesländer*. The capital Vienna (Wien) is by far the largest city in the country with around 1.8 million inhabitants. Austria is a highly mountainous area: 62% of the country is covered by the mountains of the Alps which makes it a popular tourist destination.

Switzerland is situated in Western and Central Europe bordered by France to the west, Germany to the north, Italy to the south and Austria and Liechtenstein to the east. It is a federal parliamentary republic consisting of 26 cantons with the German-speaking city of Bern as federal capital. The German spoken in Switzerland is called Swiss German (*Schwyzerdütsch*) and varies hugely in pronunciation, vocabulary and structure. Other official languages are French, Italian and Romansh but German is the language with the most native speakers. Switzerland belongs to the world's richest countries and is well known for its armed neutrality.

Lektion 7: Du kannst wirklich toll …!

1

wohl	Was sagt der Mann wohl der Frau?	possibly, probably, perhaps

2

das Auge, -n	Deine Augen sind sehr schön.		eye

BILDLEXIKON

Musik hören	Ich höre gern Musik.	to listen to music
spazieren gehen	Oft gehe ich spazieren.	to go for a walk

backen
to bake

malen
to paint

Ski fahren
to go skiing

Freunde treffen
to meet friends

fotografieren
to take a picture

Schach spielen
to play chess

im Internet surfen
to surf the internet, to browse

Rad fahren
to ride a bike, to cycle

Fußball spielen
to play football

schwimmen
to swim

Tennis spielen
to play tennis

HOBBIES

> **TIPP**
> Learn nouns and verbs together.

Spaß machen
Freunde treffen/besuchen

5

verwenden	Verwenden Sie die passende Form von „können".	to use (sth.)

6

gar: gar nicht	Ich kann gar nicht Schach spielen.	not at all
nicht so (gut)	Ich kann nicht so gut malen.	not so (well), not so (good)

7

herzlich	Herzlichen Dank.	heartily, cordially, sincere
vor·spielen	*Spielen Sie ein Hobby vor.*	to *audition*

8

der Ausflug, ⸚e	Ich mache gern Ausflüge.	excursion

fast	Ich gehe fast nie ins Kino.	almost, nearly
die Freizeit (Sg.)	Was machen Sie gern in der Freizeit?	leisure time, free time
das Kino, -s	Ich gehe oft ins Kino.	cinema
lieben	Ich liebe Musik.	to love
Lieblings-	Mein Lieblingsbuch ist „Momo" von Michael Ende.	favourite
der Lieblingsfilm, -e	Mein Lieblingsfilm ist „Das Leben der anderen".	favourite movie
der Lieblingskom-ponist, -en	*Mein Lieblingskomponist ist Mozart.*	*favourite composer*
manchmal	Manchmal gehe ich ins Theater.	sometimes, occasionally
die Natur (Sg.)	Ich liebe die Natur.	nature
nie	Ich gehe nie ins Theater.	never
oft	Wir fahren oft Rad.	often
der Spaß (Sg.)	Das macht Spaß!	fun
das Theater, -	Manchmal gehe ich ins Theater.	theatre
wie oft	Wie oft gehst du ins Kino?	how often

9

das Aktivitäten-Bingo, -s	*Wir spielen Aktivitäten-Bingo.*	*activity bingo*
diagonal	*Wer hat zuerst fünf Personen diagonal?*	*diagonal*
die Möglichkeit, -en	Möglichkeit 1: senkrecht	possibility
das Radio, -s	Hörst du oft Radio?	radio
senkrecht	Notieren Sie die Namen: senkrecht oder waagerecht.	vertical
waagerecht	Möglichkeit 2: waagerecht	horizontal
zuerst	Wer hat zuerst fünf Personen?	at first

10

das Auto, -s	Kann ich das Auto haben?	car
die Bitte, -n	Bitte: Kannst du das noch einmal sagen?	request
gehen: das geht nicht	Nein, das geht leider nicht.	here: it won't work, it is not impossible
leid·tun	Tut mir leid.	to be sorry
leider	Das geht nicht. Leider!	unfortunately
mal (Modalpartikel)	Kann ich mal telefonieren?	modal particle, does not translate literally, softens the tone of questions and statements (used mainly in spoken language)
natürlich	Ja, natürlich.	of course
rauchen	Kann ich hier rauchen?	to smoke

Vocabulary

LERNZIELE

die Fähigkeit, -en	Wir sprechen über Fähigkeiten: Du kannst super tanzen.	ability
die Freizeitaktivität, -en	Freizeitaktivitäten sind Musik hören, tanzen, …	leisure time activity
die Gitarre, -n	Du kannst super Gitarre spielen.	guitar
das Kompliment, -e	*Was für ein Kompliment macht der Mann der Frau?*	*compliment*
können	Du kannst wirklich toll kochen.	to be able to
das Modalverb, -en	*„Können" ist ein Modalverb.*	*modal verb*
die Satzklammer, -n	*Satzklammer: Du kannst super Gitarre spielen.*	*sentence bracket*
telefonieren	Kann ich telefonieren?	to phone, to call

Lektion 8: Kein Problem. Ich habe Zeit!

2

| das Schwimmbad, ⸚er | Gehen wir ins Schwimmbad? | swimming pool |

BILDLEXIKON

die Ausstellung, -en	Heute gehe ich in eine Ausstellung.	exhibition
die Bar, -s	Vielleicht können wir mal wieder in eine Bar gehen?	bar
das Café, -s	Wo ist Karina? – Im Café.	coffee shop
die Disco, -s	Gehen wir in eine Disco?	disco, club
die Kneipe, -n	Kennst du eine Kneipe?	pub
das Konzert, -e	Wir gehen ins Konzert.	concert
das Museum, Museen	Heute Nachmittag gehe ich ins Museum.	museum
das Restaurant, -s	Gehen wir ins Restaurant?	restaurant

3

| der Gruß, ⸚e | Liebe Grüße – Karina | greeting |
| in | Karina geht am Nachmittag nicht ins Schwimmbad. | here: to; also: at, in, into |

4

| warum | Ich habe keine Zeit. – Warum nicht? | why |

5

das Fernsehen (Sg.)	Im Fernsehen sagt man „fünf Uhr dreißig".	television
halb	Wie spät ist es? – Halb sechs.	half
nach	Es ist zwanzig nach drei.	past
der Rücken, -	„Schreiben" Sie Uhrzeiten auf den Rücken.	back

spät: wie spät?	Wie spät ist es?	late: how late, what time
Viertel vor/nach	Es ist Viertel vor/nach drei.	quarter to/past
vor	Es ist zehn vor drei.	here: to, till

6

bis (dann/morgen)	Dann bis vier! – Bis dann!	until (then/tomorrow)
eigen -	Schreiben Sie einen eigenen Chat.	own
(die) Lust, ̈e	Lust auf Schwimmbad?	desire, to fancy
die Idee, Ideen	Gute Idee!	idea
morgen	Vielleicht können wir morgen ins Theater gehen.	tomorrow
der Profilname, -n	Ergänzen Sie auch Ihren Profilnamen.	profil name
spät: zu spät	Sechs Uhr ist zu spät.	late: too late
vielleicht	Vielleicht können wir ins Theater gehen.	maybe
wann	Wann? – Um vier.	when

TIMES OF DAY

der Morgen, -
morning

der Abend, -e
evening

die Nacht, ̈e
night

der Vormittag, -e
midmorning, before noon

der Mittag, -e
midday, noon

der Nachmittag, -e
afternoon

7

besonders	Mein Lieblingstag ist der Mittwoch. Besonders der Abend.	especially
der Dienstag, -e	Mein Lieblingstag ist der Dienstag.	Tuesday
der Donnerstag, -e	Was machst du am Donnerstag?	Thursday
der Freitag, -e	Was machst du Freitagabend?	Friday
der Geburtstag, -e	Meine Oma hat am Sonntag Geburtstag.	birthday
jobben	*Ich jobbe im Café.*	*to work (to do casual jobs)*
der Lieblingstag, -e	Welcher Tag ist Ihr Lieblingstag?	favourite day
die Lieblingstages- zeit, -en	Was ist Ihre Lieblingstageszeit?	favourite time of the day
der Mittwoch, -e	Am Mittwoch spiele ich Tennis.	Wednesday
der Mittwochabend, -e	Am Mittwochabend habe ich Zeit.	Wednesday evening
der Montag, -e	Hast du am Montag Zeit?	Monday
der Montagabend, -e	Am Montagabend gehe ich mit Sonja ins Kino.	Monday evening
der Nachmittag, -e	Am Nachmittag geht Frida schwimmen.	afternoon

die Nordsee	*Am Samstag machen wir einen Ausflug an die Nordsee.*	North Sea
der Salsa, -s	*Am Donnerstagabend tanze ich Salsa.*	salsa
der Samstag, -e	*Am Samstag ist kein Deutschkurs.*	Saturday
die Sauna, -s / Saunen	*Am Mittwoch gehe ich mit Chris in die Sauna.*	sauna
der Sonntag, -e	*Am Sonntag hat Oma Geburtstag.*	Sunday
die Uni, -s	*= Universität*	university
der Vormittag, -e	*Am Vormittag bin ich im Büro.*	morning, before noon
die Woche, -n	*Die Woche hat sieben Tage.*	week

TIPP If possible, learn new words as a sequence.

Montag — Dienstag — Mittwoch — …
Vormittag — Mittag — Nachmittag — …

8

ab·sagen	Sagen Sie die Einladung ab.	to cancel
der Betreff, -e	*Betreff: heute*	*subject*
ein·laden	Laden Sie Ihre Partnerin ein.	to invite
das Essen, -	Markus und Svenja kommen zum Essen.	food, meal, dinner
höflich	Die E-Mail ist höflich.	polite
Liebe/Lieber	Lieber Timo, leider kann ich nicht kommen.	dear
schriftlich	Sagen Sie schriftlich zu.	in writing
sortieren	*Sortieren Sie die Wendungen.*	*to sort*
unhöflich	Die E-Mail ist unhöflich.	impolite, rude
zu·sagen	*Sagen Sie zu.*	*to accept, to confirm*

LERNZIELE

die Absage, -n	Schreiben Sie eine Absage.	cancellation
der Chat, -s	*Lesen Sie den Chat.*	*chat*
die Einladung, -en	Schreiben Sie eine Einladung.	invitation
die Tageszeit, -en	„Der Nachmittag" ist eine Tageszeit.	time of the day
temporal	*„Am" und „um" sind temporale Präpositionen.*	*temporal*
die Uhrzeit, -en	Uhrzeiten: halb sechs, fünf Uhr dreißig	time, time of the day
um (Uhr)	Gehen wir ins Kino? Heute Nachmittag um vier?	at (time)
verabreden (sich)	Verabreden Sie sich im Chat.	to arrange
die Verbposition, -en	*Verbposition: Heute Abend **habe** ich keine Zeit.*	*position of the verb*
der Vorschlag, ⁓e	Machen Sie einen Vorschlag.	suggestion, proposal
der Wochentag, -e	Die Wochentage: Montag, Dienstag, …	day of the week

Lektion 9: Ich möchte was essen, Onkel Harry.

1

| der Kühlschrank, ⸚e | Ich habe immer Milch im Kühlschrank. | fridge |

2

der Durst (Sg.)	Tim hat Durst.	thirst
der Hunger (Sg.)	Ich habe Hunger.	hunger
das Käsebrot, -e	Er möchte kein Käsebrot.	cheese sandwich
der Onkel, -	Onkel Harry hat keine Schokolade.	uncle
das Schinkenbrot, -e	Er möchte kein Schinkenbrot.	ham sandwich

BILDLEXIKON

| der Tee, -s | Möchten Sie Tee oder Kaffee? | tea |

der Apfel, -¨
apple

der Käse, -
cheese

der Salat, -e
salad

der Braten, -
roast

die Kartoffel, -n
potato

der Schinken, -
ham

das Brot, -e
bread

der Kuchen, -
cake

die Schokolade, -n
chocolate

die Butter (Sg.)
butter

die Milch (Sg.)
milk

die Suppe, -n
soup

der Fisch, -e
fish

die Orange, -n
orange

die Tomate, -n
tomato

FOOD

3

erst	Am Sonntag frühstücke ich erst um elf.	only
das Käsebrötchen, -	Ich esse zum Frühstück ein Käsebrötchen.	cheese-filled roll
das Wochenende, -n	Am Wochenende frühstücke ich nicht.	weekend

4

der Appetit (Sg.)	Guten Appetit!	appetite
bitte sehr	Bitte sehr!	you are welcome
der Dank (Sg.)	Vielen Dank.	thanks, gratitude
ebenfalls	Guten Appetit. – Danke, ebenfalls.	likewise, too, same to you
schmecken	Wie schmeckt die Suppe?	to taste
trinken	Trinken Sie einen Kaffee?	to drink

5

Danke schön	Der Braten schmeckt sehr gut. – Danke schön.	thank you
der Eiersalat, -e	Als Vorspeise machen wir Eiersalat.	egg salad
der Gast, ⁼e	Was schenkt der Gast?	guest
gleichfalls	Guten Appetit. – Danke, gleichfalls.	likewise, too, same to you
das Lieblingsessen, -	Was ist dein Lieblingsessen?	favourite food
der Nachbar, -n/die Nachbarin, -nen	Sind Sie Nachbarn?	neighbour
planen	Planen Sie gemeinsam ein Essen.	to plan
schenken	Der Gast schenkt Schokolade.	to give a present, to gift
die Szene, -n	Spielen Sie kleine Szenen.	scene

6

das Dessert, -s	Als Dessert essen wir Eis.	dessert
das Ei, -er	Ich esse gern ein Ei zum Frühstück.	egg
das Eis (Sg.)	Magst du Eis?	ice cream
die Fischsuppe, -n	Fischsuppe schmeckt gut.	fish soup
das Hauptgericht, -e	Als Hauptgericht mache ich Zwiebelkuchen.	main course
der Kursteilnehmer, -/ die Kursteilnehme- rin, -nen	Laden Sie zwei Kursteilnehmerinnen zum Essen ein.	course participant, student
das Obst (Sg.)	Isst du gern Obst?	fruit
die Pizza, -s / Pizzen	*Heute Abend mache ich Pizza.*	*pizza*
der Reis (Sg.)	Ich mag keinen Reis.	rice
der Schokoladen- kuchen, -	Alle lieben Schokoladenkuchen.	chocolate cake
die Speisekarte, -n	Lesen Sie die Speisekarte.	menu
die Vorspeise, -n	Als Vorspeise essen wir Fischeis.	starter
die Zitrone, -n	Ich esse gern Zitronenkuchen.	lemon
zusammen·stellen	Stellen Sie eine Speisekarte zusammen.	to put together
die Zwiebel, -n	Zwiebelsuppe schmeckt gut.	onion

7

die Aalsuppe, -n	*Aalsuppe isst man in Hamburg.*	*eel soup*
der Apfelstrudel, -	*Apfelstrudel kommt aus Österreich, oder?*	*apple strudel (an Austrian delicacy)*
der Favorit, -en	*Wählen Sie Ihre Favoriten.*	*favourite*
das Kalbfleisch (Sg.)	*Ein Wiener Schnitzel ist aus Kalbfleisch.*	*veal*
der Kartoffelsalat, -e	*Wer möchte Kartoffelsalat?*	*potato salad*
die Leberknödelsuppe, -n	*Wir essen Leberknödelsuppe als Vorspeise.*	*liver dumpling soup*
die Rösti (Pl.)	*Die Rösti sind aus Kartoffeln.*	*hash browns, Swiss potato dish*
die Rote Grütze (Sg.)	*Rote Grütze ist ein Dessert.*	*red berry compote*

die Sahne (Sg.)	Es gibt Rote Grütze mit Sahne.	cream
typisch	Was sind typische Gerichte aus Deutschland?	typical
das Vanilleeis (Sg.)	*Mein Lieblingseis ist Vanilleeis.*	*vanilla ice cream*
das Wiener Schnitzel, -	*Wiener Schnitzel ist der Favorit im Kurs.*	Wiener (Viennese) schnitzel (breadcrumbed and fried veal scallop)
das Zürcher Geschnetzelte	*Heute essen wir Zürcher Geschnetzeltes.*	Zurich ragout (meat cut into strips)

LERNZIELE

essen	Ich esse gern Müsli.	to eat
die Essgewohnheit, -en	über Essgewohnheiten sprechen: Zum Frühstück esse ich immer …	eating habit
das Frühstück (Sg.)	Ich esse gern Müsli zum Frühstück.	breakfast
das Lebensmittel, -	Welche Lebensmittel haben Sie immer im Kühlschrank?	groceries
mögen	Wir mögen Kaffee.	to like
das Müsli, -s	*Ich esse oft Müsli.*	*muesli, cereal*
die Speise, -n	Speisen im Restaurant	dish
der Tomatensalat, -e	die Tomate + der Salat = der Tomatensalat	tomato salad
die Vorliebe, -n	*Was sind deine Vorlieben beim Essen?*	*preference*

MODUL-PLUS LESEMAGAZIN

1

absolut	*„Haben und Nichthaben" ist Anjas absoluter Lieblings-film.*	*absolute, absolutely*
das Beachvolleyball (Sg.)	*Möchtest du Beachvolleyball spielen?*	*beach volleyball*
bearbeiten	*Meine Seite bearbeiten*	*to edit*
das Brötchen, -	Es gibt Brötchen zum Frühstück.	bread roll, bun
das Cello, -s / Celli	*Anja spielt Cello.*	*cello*
einmal	Einmal im Jahr kommt mein Lieblingsfilm.	once
endlich	Endlich wieder Kino!	finally
die Flöte, -n	*Kannst du Flöte spielen?*	*flute*
der Frauen-Ausflug, ⁼e	Wir machen heute einen Frauen-Ausflug.	excursion for women only
freuen (sich)	Ich freue mich schon!	to be glad, to look forward to
der Garten, ⁼	Wir machen ein Frühstück im Garten.	garden
grillen	Möchtest du grillen?	to barbecue
der Honig (Sg.)	Ein Brötchen mit Honig, bitte.	honey
der Jazz (Sg.)	Magst du Jazz?	jazz
die Klassik (Sg.)	*Anja hört gern Klassik.*	*classic, classical music*
das Konto (Internet), Konten	mein Konto auf Bingobaby	account

los	Na los!	here: let's go
der Mai, -e	Samstag, 29. Mai	May
die Marmelade, -n	Zum Frühstück gibt es Brot, Marmelade …	jam
das Musikfrüh- stück, -e	Wir machen ein Musikfrühstück.	breakfast with music
online	*22 Freunde sind online.*	online
der Orangensaft, ⸚e	Wer möchte einen Orangensaft?	orange juice
das Profil, -e	*Das ist das Profil von Anja Ebner.*	*profil*
die Startseite, -n	Willkommen auf der Startseite.	front page, homepage
die Überschrift, -en	Welche Überschrift passt?	headline
die Veranstaltung, -en	Welche Veranstaltung möchten Sie machen?	event
willkommen	Willkommen bei Anja Ebner!	welcome
die Wurst (Sg.)	Ich mag keine Wurst.	sausage

4

der Blog, -s	*Schreiben Sie einen Blog.*	*blog*

MODUL-PLUS FILM-STATIONEN

1

das Inlineskaten	*Mein Hobby ist Inlineskaten.*	*to rollerblade*

2

besuchen	Am Wochenende besuchen wir Freunde.	to visit
das Fußballspiel, -e	Wir gehen heute Abend zu einem Fußballspiel.	football match, football game
das Kurzinterview, -s	Sehen Sie die Kurzinterviews.	short interview
verbinden	Verbinden Sie.	to connect

3

der Apfelsaft, ⸚e	Trinken Sie gern Apfelsaft?	apple juice
das Bier, -e	Ich trinke nicht gern Bier.	beer
der Gasthof, ⸚e	*Mein Lieblingsrestaurant ist der Gasthof Birner in Wien.*	*inn, pub*
das Getränk, -e	Bier und Apfelsaft sind Getränke.	drink
das Lieblings- restaurant, -s	Wie heißt dein Lieblingsrestaurant?	favourite restaurant
süß	Schokolade ist süß.	sweet
das Wasser, ⸚	Ich trinke zum Essen immer Wasser.	water
die Currywurst, ⸚e	*Ich esse gern Currywurst.*	*currywurst, curry sausage*
der Erdäpfelsalat, -e	Kartoffelsalat = Erdäpfelsalat in Österreich	potato salad (in Austria)
das Geschnetzelte (Sg.)	Was ist Geschnetzeltes?	meat cut into strips
der Grünkohl (Sg.)	*Grünkohl schmeckt gut.*	*green cabbage*

das Gulasch (Sg.)	Gulasch ist eine Speise aus Ungarn.	goulash
das Kassler, -	Kommt Kassler aus Kassel?	gammon steak
der Knödel, -	Mögen Sie Knödel?	dumpling
der Matjes, -	Matjes ist Fisch.	young herring
die Pellkartoffel, -n	Pellkartoffeln sind gut.	jacket potato
die Pommes frites (Pl.)	Ich möchte bitte ein Wiener Schnitzel mit Pommes frites.	chips, French fries
der Rotkohl (Sg.)	Wie schmeckt Rotkohl?	red cabbage
die Sahnesoße, -n	Matjes isst man gern in Sahnesoße.	cream sauce
der Schweinebraten, -	Mein Opa liebt Schweinebraten.	roast pork

MODUL-PLUS PROJEKT LANDESKUNDE

1

bedeuten	Was bedeutet „Resteessen"?	to mean, to matter, to imply
das Corned Beef, -s	Stampfen Sie Corned Beef.	corned beef
daraus	Was hast du zu Hause? Daraus kochen wir etwas.	thereof, thereout
dazu	Heute mache ich Labskaus. Dazu essen wir Spiegelei.	along with it
dazu·geben	Geben Sie Zwiebeln dazu.	to add
ein·kaufen	Wir kaufen heute nicht ein.	to buy, to shop
extra	Man kauft nicht extra ein.	extra
frisch	Man verwendet frische Zutaten.	fresh
früher	Früher war Labskaus ein Resteessen.	earlier, previously
die Gewürzgurke, -n	Mögen Sie Gewürzgurken?	gherkin, pickled cucumber
der Labskaus (Sg.)	Labskaus kommt aus Norddeutschland.	culinary speciality from Northern Germany
norddeutsch	Labskaus ist eine norddeutsche Spezialität.	North German
(das) Norddeutschland	Hamburg und Kiel sind Städte in Norddeutschland.	North of Germany
der Pfeffer (Sg.)	Würzen Sie mit Pfeffer.	pepper
der Rest, -e	Heute macht man Labskaus nicht mehr aus Resten.	left over
das Resteessen, -	Labskaus ist ein Resteessen.	meal made from leftovers
das Rezept, -e	Lesen Sie das Rezept.	recipe
das Salz (Sg.)	Wir brauchen Salz.	salt
das Seefahreressen (Sg.)	Labskaus war ein Seefahreressen.	dish for seafarers
die Spezialität, -en	Labkaus ist eine Spezialität.	speciality
das Spiegelei, -er	Zu Labskaus isst man Spiegelei.	fried egg, egg sunny side up
stampfen	Stampfen Sie die Kartoffeln.	to stamp, to mash
traditionell	Das ist ein traditionelles Seefahreressen.	traditional
würzen	Würzen Sie mit Salz und Pfeffer.	to season
zu Hause	Was haben Sie zu Hause?	at home
die Zutat, -en	Das Gericht macht man aus frischen Zutaten.	ingredient

2

das Käsefondue, -s	*Mein Gericht heißt Käsefondue.*	*cheese fondue*
das Kursrezeptbuch, ⸚er	Machen Sie ein Kursrezeptbuch.	course recipe book
der Wein, -e	Für Käsefondue brauchst du Käse, Wein und Brot.	wine

MODUL-PLUS AUSKLANG

1

dich	Wann kann ich dich sehen?	you (personal pronoun, familiar, accusative)
ganz	Ich weiß es ganz genau.	entire, whole, complete
glücklich	Wir können einfach glücklich sein.	happy
die Strophe, -n	*Sortieren Sie die Strophen.*	*verse*
wunderschön	Tina, du bist wunderschön.	beautiful, gorgeous

Grammar Explanations

Lektion 7: Du kannst wirklich toll …!

Modal auxiliaries and sentence brackets

Modal auxiliaries are in German called **Modalverben (modal verbs)** and refer to the way we do things. For example: Do I have to do it? Am I able to? Should I do it? Do I want to?

Modal verbs are usually used with **the infinitive of another verb**. In German, however, the infinitive is placed in the last position in the sentence!

With the modal auxiliary in the **usual second** position and the infinitive of another verb **in the last** position, we form a structure that is typical and very common in German – the **sentence bracket (Satzklammer)**.

Du **kannst** wirklich toll **kochen**!   *You **can cook** really well!*
Sentence bracket

In a **question** or **request**, the sentence bracket will begin from the **first position**.

Kannst du das noch einmal **sagen**?   *Can you **say** it once again?*
Sentence bracket

Modal auxiliary können

The verb **können** is the German equivalent of the English modal auxiliary *to be able to, can*:
Du **kannst** wirklich toll **kochen**!   *You **can cook** really well!*
Kannst du das noch einmal **sagen**?   *Can you **say** it once again?*

The conjugation of können is irregular. There is a vowel change in the stem **ö → a** in each person singular and the forms of the **1ˢᵗ** and **3ʳᵈ** person are identical.

		können
singular	ich	kann
	du	kannst
	er/sie	kann
plural	wir	können
	ihr	könnt
	sie/Sie	können

Irregular verbs with vowel changes

Many irregular verbs have a **vowel change in the stem** in the **2nd** and **3rd** person singular. There are various changes possible, e.g. **a → ä, e → i** or **e → ie**

fahren – *to go, to drive, to ride*
Fährst du oft Ski?   *Do you ski often?*

lesen – *to read*
Liest du oft?   *Do you read often?*

treffen – *to meet*
Triffst du oft deine Freunde?   *Do you meet your friends often?*

	fahren	**lesen**	**treffen**
ich	fahre	lese	treffe
du	fährst	liest	triffst
er/es/sie	fährt	liest	trifft

Expressing astonishment and approval

Modal particles are used to **emphasize a particular aspect** of the message, so it is difficult or impossible to translate them. Modal particles *ja* und *aber* can help us **make compliments**, express **astonishment** and **approval**:

Du kannst **ja** toll singen!   *(Wow!) You can sing great!*
Du kannst **aber** toll singen!   *(Wow!) You can sing great!*

The same function can have the adverbial use of the word **wirklich** (*really*)

Du kannst **wirklich** gut singen!   *You can sing **really** great!*

The adverb gern

The German adverb *gern* can be used with almost any verb to express that we **like** doing something (or not).

Liest du gern?   *Do you **like reading**?*
Triffst du gern deine Freunde?   *Do you **like meeting** your friends?*
Ich **fahre nicht gern** Ski?   *I **don't like skiing**.*

Lektion 8: Kein Problem. Ich habe Zeit!

The verb wissen

Although the verb **wissen** (*to know*) is not a modal verb, the conjugation of *wissen* follows the same pattern as the modal verbs: the forms of the 1st and 3rd person singular are identical.

Grammar Explanations

German has two different verbs that can correspond to the single English verb *to know*. Knowing or being familiar with a person or thing (kennen) and **knowing a fact → wissen**.

| Was machst du heute? | *What are you doing today?* |
| Das **weiß** ich noch nicht. | *I don't know yet.* |

		wissen
singular	ich	weiß
	du	weißt
	er/sie	weiß
plural	wir	wissen
	ihr	wisst
	sie/Sie	wissen

Verb's position in the sentence

In a **statement,** the verb always comes **second**. No matter which element begins the statement. The **subject** will either come **first** or immediately **after** the verb.

Ich **habe** heute Abend leider keine Zeit.	*Unfortunately I don't have time tonight.*
Heute Abend **habe** ich leider keine Zeit.	*Unfortunately I don't have time tonight.*
Leider **habe** ich heute Abend keine Zeit.	*Unfortunately I don't have time tonight.*

Telling the Time

If you want to know the time in German, the most common way of asking is *Wie spät ist es?* or *Wie viel Uhr ist es?*, which literally means 'how many hours is it?'. The answer simply starts with: *Es ist …*

In case it is not clear whether it is in the morning of afternoon, you can use the 24 hour system:

| *Es ist fünfzehn Uhr.* | It is 3 p.m. |
| *Es ist neunzehn Uhr.* | It is 7 p.m. |

The tricky part about telling the time in German is how to say *half past*. In German, you say it is half an hour before the following hour whereas in English, you say it is half past the previous hour. It takes some time to getting used to but as always 'practice makes perfect' or as the Germans would say: *Übung macht den Meister.*

| Es ist halb fünf. | *It is half past four.* |
| Es ist halb elf. | *It is half past ten.* |

Temporal prepositions am and um

Am and **um** can be used as temporal prepositions. **Am** is used with the **days of the week** (Monday, Tuesday etc.) and with the **times of the day** (morning, afternoon etc.) Only with "the night" we use **in** (**in** der Nacht / *in the night*)

Am Montag treffe ich meine Freunde.	*On Monday I meet my friends.*
Am Abend lese ich gern.	*I like reading in the evening.*

Um is used with **time** (at 7 am, at 3 pm etc.)

Das Konzert beginnt **um** 8 Uhr.	*The concert begins at 8 pm.*
Um drei Uhr gehe ich ins Museum.	*At 3 pm I am going to the museum.*

Preposition in and the form ins

In can be used as a local preposition referring to direction or destination. **In** together with the article *das* in accusative creates the form *ins*.

Ich gehe **in** eine Ausstellung.	*I am going to (see) an exhibition.*
Karina geht **ins** Schmwimmbad.	*Karina goes to the swimming pool.*

Lektion 9: Ich möchte was essen, Onkel Harry.

Verbs mögen und möchten

The modal verb **mögen** (to like) is used to express our general likes or dislikes for things (e.g. food).

Tim **mag** Schokolade.	*Tim **likes** chocolate.*
Magst du Käse?	*Do you **like** cheese?*

The conjugation of **mögen** is **irregular**. There is a vowel change in the stem **ö → a** in every person singular and the forms of the **1st** and **3rd** person are identical.

		mögen
singular	ich	mag
	du	magst
	er/sie	mag
plural	wir	mögen
	ihr	mögt
	sie/Sie	mögen

The modal verb **möchten** is a subjunctive form from **mögen**. *Ich möchte...* can be translated as *I wish, I would like* or *I feel like (doing something)*. **Möchte** is usually used with the infinitive of another verb and forms a **sentence bracket**.

Grammar Explanations

Tim **möchte** heute Schokolade **essen**.   *Tim **would like to eat** chocolate today.*

<u>Sentence bracket</u>

Ich **möchte** jetzt **singen**!   *I **would like to sing** now! / I **feel like singing** now!*

<u>Sentence bracket</u>

There are no vowel changes in the stem in the conjugation. The forms of the **1**[st] and **3**[rd] person are identical.

		möchten
singular	ich	möchte
	du	möchtest
	er/sie	möchte
plural	wir	möchten
	ihr	möchtet
	sie/Sie	möchten

Irregular verb essen

The verb **essen** (*to eat*) is irregular and has a vowel change **e → i**. The change in the conjugation is a little bit confusing because its only vowel is in the beginning.

- ■ Was **isst** du zum Frühstück?
- ▲ Ich **esse** Käsebrötchen.

- ■ *What do you eat for breakfast?*
- ▲ *I eat rolls with cheese.*

		essen
singular	ich	esse
	du	isst
	er/sie	isst
plural	wir	essen
	ihr	esst
	sie/Sie	essen

Word formation

In German, two nouns are often joined to form one **compound noun**. The last component of the compound noun determines **the meaning and the gender** of the noun.

Der Käse + **die Pizza** → **die** Käse**pizza** (*cheese pizza*)
Die Pizza + **der Käse** → **der** Pizza**käse** (*cheese specially for pizza, grated cheese*)

Punctuality

If you truly want to fit in with the locals, you should always be on time as the Germans value punctuality. Generally speaking, it is better to be five minutes early than one minute late. However, it also has to be said that not everyone in Germany follows this example. Studies show that approximately 85 percent of the population take appointments seriously and say that a waiting time of more than five minutes is not acceptable.

Leisure Activities

In general, the Germans are very active people and leisure time for many means being active and enjoying physical exercise. Walking and hiking are especially well-loved free time activities.

One of the favourite spare-time activities of many Germans is travelling. Statistics show that Germans spend more money and time on holidays abroad than many other nations; most people take at least one trip abroad but many like to treat themselves to both a summer and a winter holiday.

Germans like to travel far abroad and can be found anywhere in the world. However, the favourite holiday destination for approximately 40% of Germans is still their own country. Hiking in the Bavarian Alps or swimming in the Baltic Sea are the top two domestic holiday destinations. The favourite destination abroad is still – and has been for many years – Spain.

Another popular free time activity of many Germans is spending time in their *Schrebergarten* (also called *Kleingarten*) – a little rented plot of land mostly located on the outskirts of cities. Gardening and growing your own fruit and vegetables is very popular and since many Germans live in rented properties, *Schrebergärten* are more in demand than ever and people wanting to rent one face long waiting lists. During World War I and World War II, these small plots of land were particularly important providing vital nutritious vegetables and fruits for a huge proportion of the population and saving many from starvation.

Cultural Studies

German Cuisine: The Importance of Bread

Each area in Germany has its own traditional dishes and there are huge varieties from region to region. Austria and the southern areas of Germany share many similar dishes whereas dishes in northern regions of Germany might be very different.

However, common for all regions in the country is the importance of bread (*Brot*). Bread plays a significant role in German cuisine and Germany produces more different bread varieties than any other country. *Vollkornbrot*, *Roggenbrot* and *Pumpernickel* are only some well-liked examples for the over 300 different variations of German bread.

Bread is nowadays much more than a staple food for hard times. Home baking and creating your own variety of bread with different ingredients such as seeds and nuts is very fashionable. It is a significant part of the morning and evening meal; one German word for dinner *Abendbrot* ('evening bread') underlines this quite clearly. A typical German *Abendbrot* might be different varieties of whole grain breads, a selection of cheeses, sausages, cold meats and gherkins. However, with today's busy lifestyles many Germans only have a light snack or cafeteria food for lunch and their main meal in the evening. Therefore, a home cooked and more substantial meal for dinner is becoming increasingly the norm.

There is a calling in Germany for the bread culture to be protected as World Immaterial Heritage by UNESCO and to be recognized for its uniqueness and variety of different sorts of breads in all shapes and sizes: from the classic white loaf to the ever popular rye bread or pumpkin bread.

Erdäpfelsalat OR Kartoffelsalat?

On a menu in Vienna or Salzburg, you would most likely find *Wiener Schnitzel mit Erdäpfelsalat* rather than *Wiener Schnitzel mit Kartoffelsalat*. Many learners of the German language find that quite confusing and often frustrating and it is important to know that names of food can vary greatly in Austria and Germany. Austriacisms are often used in order to maintain Austrian culture and promote its individuality in the field of gastronomy.

Remember: *Kartoffeln* are called *Erdäpfel*, *Tomaten* are *Paradeiser*, *Schlagsahne* (whipped cream) is *Schlagobers* and *Blumenkohl* is *Karfiol* – just to name a few common examples you might find on Austrian menus.

Lektion 10: Ich steige jetzt in die U-Bahn ein.

1

die U-Bahn, -en	Ich steige jetzt in die U-Bahn ein.	subway, underground, metro
schließen	Schließen Sie die Augen und hören Sie.	to close

2

aus·steigen	Der Mann steigt aus.	to get off, to alight, to exit
der Bahnhof, ⸚e	Der Mann ist am Bahnhof.	train station
einsteigen	Der Mann steigt ein.	to get on, to enter
der Flughafen, ⸚	Der Mann ist am Flughafen.	airport

BILDLEXIKON

der Bahnsteig, -e	Am Bahnsteig sind viele Menschen.	platform
der Bus, -se	Ich nehme den Bus.	bus
das Flugzeug, -e	Magst du Flugzeuge?	aircraft, plane
das Gepäck (Sg.)	Ich habe viel Gepäck.	luggage
das Gleis, -e	Vorsicht am Gleis 10!	platform, rail
die Haltestelle, -n	Eine Frau ist an der Haltestelle.	station, bus stop
der Koffer, -	Ja, den Koffer habe ich, und die Tasche auch.	suitcase
die S-Bahn, -en	Der Mann steigt in die S-Bahn ein.	suburban train
die Straßenbahn, -en	Die Straßenbahn fährt zum Flughafen.	tram, cable car
das Taxi, -s	Ich brauche ein Taxi.	taxi
der Zug, ⸚e	Wann kommt der Zug an?	train

SEPERABLE VERBS

 ein·steigen
to get on,
to enter

 fern·sehen
to watch
TV

 an·rufen
to call so.

 an·kommen
to arrive

aus·steigen
to get off,
to alight

 ein·kaufen
to go shop-
ping, to shop

ab·fahren
to depart

4

Achtung!	Achtung! Bitte zurückbleiben!	attention, caution
ein·fahren	*Am Bahnsteig 2 fährt die U2 ein.*	*to pull into the station*
gerade	Der Zug fährt gerade ein.	here: at the moment
der Halt, -e/-s	*Nächster Halt Innsbrucker Ring.*	stop
die Minute, -n	In vierzig Minuten komme ich zu Hause an.	minute
die Vorsicht (Sg.)	Bitte Vorsicht!	caution
zurück·bleiben	Am Bahnsteig 2: Zurückbleiben bitte!	to stay back

5

| der Infinitiv, -e | Notieren Sie die Infinitive: einsteigen, fernsehen, … | infinitive |

6

achten auf	Achten Sie auf die richtige Satzstellung.	to pay attention
die Satzstellung, -en	Wie ist die richtige Satzstellung?	syntax
stellen	Ihr Partner stellt Fragen.	to put, here: to ask (questions)

7

ab·holen	Holst du mich am Bahnhof ab?	to pick so. up, to collect
der Cappuccino, -s	Bringst du einen Cappuccino mit?	cappuccino
entschuldigen	Entschuldigen Sie, wo fährt der Zug nach München ab?	to excuse, to apologise
der Hauptbahnhof, ⸚e	Fährt ein Bus vom Hauptbahnhof zum Flughafen?	central station
nehmen	Nimmst du ein Taxi? – Nein, ich nehme den Bus.	to take
um·steigen	Ich steige in den Bus um.	to change (for somewhere: train, bus …)
weitere-	Kennen Sie weitere Wörter?	further, additional

8

geben	Geben Sie die Sätze einem anderen Paar.	to give
der Kasten, ⸚	Schreiben Sie Sätze mit den Wörtern aus dem Kasten.	box
das Satzpuzzle, -s	Machen Sie ein Satzpuzzle.	sentence puzzle
zerschneiden	Zerschneiden Sie die Sätze.	to cut up

9

der Punkt, -e	Der Satz ist richtig. Du bekommst einen Punkt.	dot, spot, point
die Spielfigur, -en	Ziehen Sie mit Ihrer Spielfigur.	pawn in a game, playing piece
überprüfen	Machen Sie einen Satz. Die anderen überprüfen.	to check sth., to test sth.
das Würfelspiel, -e	Spielen Sie ein Würfelspiel.	game of dice

10

| auf·passen | Pass auf dich auf! | to pay attention, to look after so./sth. |
| der Ausdruck, ⸚e | Können Sie den Ausdruck übersetzen? | expression |

11

durch	Gehen Sie durch den Kursraum.	through

LERNZIELE

also	Also dann – tschüs.	well
beenden	*ein Telefonat beenden*	*to finish, to end sth.*
die Durchsage, -n	Hören Sie die Durchsage.	announcement
informieren (sich)	Informieren Sie sich: Wann kommt er an?	to inform os. (of sth.)
die Reise, -n	Wir machen eine Reise.	journey, trip
das Telefonat, -e	*Der Mann beendet das Telefonat.*	*telephone call*
das trennbare Verb, -en	*„Anrufen" ist ein trennbares Verb: Ich rufe dich an.*	*separable verb*
das Verkehrsmittel, -	Die U-Bahn ist ein Verkehrsmittel in der Stadt.	means of transport

Lektion 11: Was hast du heute gemacht?

1

-mal (ein-/zwei-/ dreimal)	Ich gehe zweimal in der Woche ins Schwimm-bad.	times (once, twice, thrice)
täglich	Ich fahre täglich zur Arbeit.	daily
wirklich	Ich fahre immer Fahrrad. – Wirklich?	really
wohin	Wohin fährst du?	where to
zu (lokal: zur/zum)	Ich fahre zur Arbeit und zum Einkaufen.	to, towards, at

BILDLEXIKON

Hausaufgaben machen
to do homework

aufräumen
to tidy up

Deutsch lernen
to study German

E-Mails schreiben
to write emails

arbeiten
to work

Zeitung lesen
to read the paper

schlafen
to sleep

eine Pause machen
to take a break

Kaffee kochen
to make coffee

EVERYDAY ACTIVITIES

die Pause, -n	Von eins bis zwei habe ich eine Pause gemacht.	break
die Zeitung, -en	Am Morgen lese ich Zeitung.	newspaper

3

frühstücken	Anja frühstückt gerade.	to have breakfast
das Geschenk, -e	Anja braucht ein Geschenk für Tante Betti.	present, gift
der Juni, -s	Heute ist Montag, der 3. Juni.	June
kaufen	Anja kauft ein Geschenk.	to buy
die Orchesterprobe, -n	*Heute Abend habe ich Orchesterprobe.*	*orchestra rehearsal*
die Tante, -n	Anjas Tante heißt Betti.	aunt

4

auf·stehen	Wann stehen Sie auf?	to get up
der Deutschkurs, -e	Was machen Sie heute nach dem Deutschkurs?	German class, German course
der Kursleiter, - / die Kursleiterin, -nen	Ihre Kursleiterin nennt die Tätigkeiten.	course instructor
die Tätigkeit, -en	Ihre Kursleiterin nennt die Tätigkeiten.	task

5

ach ja	*Ach ja: Ich habe eine Mail geschrieben.*	*oh well, really*
bringen	Sie bringen den Schrank am Mittwoch.	to bring, to take
denken	Ich habe oft an dich gedacht.	to think
der Dezember, -	Ich kann noch bis Dezember arbeiten.	December
die Dienstreise, -n	*Michi ist auf einer Dienstreise.*	*business trip*
fleißig	Habt ihr fleißig für das Konzert geübt?	diligent, hardworking
der Geschäftspartner, - / die Geschäftspartnerin, -nen	Ich habe den ganzen Tag mit Geschäftspartnern gesprochen.	business partner, business associate
gleich	Herr Bergmair hat gleich angerufen.	same, alike; here: immediately
interessant	Die Arbeit ist interessant.	interesting
der Küchenschrank, ⸚e	Der Küchenschrank ist fertig.	kitchen cabinet
der Kunde, -n / die Kundin, -nen	Michi spricht viel mit Kunden.	client, customer
lachen	Wir haben viel gelacht.	to laugh
langweilig	Hier ist es so langweilig!	boring
Liebste/r	*Hallo mein Liebster!*	*dear*
das Mittagessen, -	Babs hat mich zum Mittagessen eingeladen.	lunch
nachmittags	Nachmittags habe ich eingekauft.	in the afternoon

das Partizip, -ien	Partizip: gemacht, gesprochen, angerufen, …	participle
die Perfekt-Form, -en	Markieren Sie die Perfekt-Formen.	perfect form
das Präsens (Sg.)	Präsens = Jetzt-Zeit	present tense
die Privatreise, -n	Wir machen eine Privatreise nach Österreich.	private trip
reden	Wir haben viel geredet.	to talk, to speak
der Schatz, ⸚e	Ich freue mich auf dich, mein Schatz!	treasure, darling, sweetheart
schwanger	Anja bekommt ein Baby. = Sie ist schwanger.	pregnant

TIPP
Write sentences.
Try using new and familiar words.

Die Party ist langweilig.

Ich habe mein Zimmer aufgeräumt.

6

die Bewegung, -en	Machen Sie eine Bewegung. Die anderen raten.	movement, exercise
letzte-	Hast du letzten Freitag E-Mails geschrieben?	last
die Mittagspause, -n	Ich habe keine Mittagspause gemacht.	lunch break
das Pantomime-Spiel, -e	Wir spielen ein Pantomime-Spiel.	pantomime

8

| die Rechtschreibung (Sg.) | Korrigieren Sie die Rechtschreibung. | spelling |

LERNZIELE

die Alltagsaktivität, -en	Alltagsaktivitäten: Was machst du oft?	everyday activity
gestern	Was hast du gestern gemacht?	yesterday
das Perfekt (Sg.)	Perfekt mit „haben": Was hast du heute gemacht?	perfect
der Tagesablauf, ⸚e	Einen Tagesablauf beschreiben: um 8 Uhr, um 9 Uhr, um 19 Uhr, …	daily routine
der Terminkalender, -	Lesen Sie Anjas Terminkalender.	diary
das Vergangene (Sg.)	Über Vergangenes sprechen: Was hast du gemacht?	past

GRAMMATIK & KOMMUNIKATION

| regelmäßig | „machen" ist ein regelmäßiges Verb. | regularly |
| unregelmäßig | „schreiben" ist ein unregelmäßiges Verb. | irregular |

Lektion 12: Was ist denn hier passiert?

1

feiern	Die Leute haben Geburtstag gefeiert.	to celebrate
die Hochzeit, -en	Wer hat die Hochzeit im Restaurant gefeiert?	wedding
der Karneval (Sg.)	Die Leute haben vielleicht Karneval gefeiert.	carnival
die Leute (Pl.)	Ich glaube, die Leute feiern gern.	people (pl.)
passieren	Was ist passiert?	to happen
das Silvester, -	Wann feiert man Silvester?	New Year's Eve, Hogmanay

2

das Mal, -e (das letzte/erste Mal)	Wann haben Sie das letzte Mal gefeiert?	time (last time/first time)

BILDLEXIKON

der April, -e	Wer hat im April Geburtstag?	April
der August, -e	Der August ist ein Monat.	August
der Februar, -e	Der Karneval dauert bis Februar oder März.	February
der Frühling, -e	Was feiert ihr im Frühling?	spring
der Herbst, -e	Das Oktoberfest ist im Herbst.	autumn
der Januar, -e	Wann hast du Geburtstag? – Im Januar.	January
der Juli, -s	Der Juli ist ein Sommermonat.	July
der März, -e	Manchmal dauert der Karneval bis März.	March
der November, -	Der Karneval fängt im November an.	November
der Oktober, -	Ist das Oktoberfest im Oktober?	October
der September, -	Das Oktoberfest fängt im September an.	September
der Sommer, -	Was machst du im Sommer?	summer
der Winter, -	Silvester und Neujahr sind im Winter.	winter

MONTHS AND SEASONS

Frühling
spring

März, April, Mai
March, April, May

Sommer
summer

Juni, Juli, August
June, July, August

Herbst
autumn

September, Oktober, November
September, October, November

Winter
winter

Dezember, Januar, Februar
December, January, February

Vocabulary

International words are easy to recognize and understand. Compare them to words in your mother tongue.

Deutsch	Englisch
Winter	winter
studieren	to study

3

an·fangen	Der Karneval fängt im November an.	to begin, to start
auf·hören	Der Karneval hört im Februar oder März auf.	to finish, to end
bis	Zu Rock am Ring gehen 70 000 bis 80 000 Rockmusik-Fans.	till, until
dauern	Das Fest dauert zwei bis drei Tage.	to last
etwa	Zum Oktoberfest kommen etwa fünf bis sechs Millionen Besucher.	approximately
der/das Event, -s	Rock am Ring ist ein tolles Event.	event
der Fasching (Sg.)	Fasching = Karneval, Fasnacht	carnival
die Fasnacht (Sg.)	Fasnacht = Karneval, Fasching	carnival
das Festival, -s	Rock am Ring ist ein Rockmusik-Festival.	festival
im (temporal)	Das Oktoberfest ist im September und Oktober.	in (temporal)
die Jahreszahl, -en	Notieren Sie die Jahreszahlen.	year, date
das Karnevalsfest, -e	Die großen Karnevalsfeste sind an den letzten sechs Tagen.	carnival celebration
klingen	Rock am Ring? Das klingt interessant.	to sound
die Lieblingsband, -s	Was ist deine Lieblingsband?	favourite band
das Neujahr (Sg.)	Neujahr = 1. Januar	New Year
die Open-Air-Party, -s	Die größte Silvester-Open-Air-Party ist in Berlin.	open-air party
die Rockmusik (Sg.)	Ich liebe Rockmusik.	rock music
der Rockmusik-Fan, -s	Rockmusik-Fans gehen zu Rock am Ring.	rock music fan
rund: rund um die Uhr	Rund um die Uhr können die Besucher ihre Lieblingsband hören.	round: round the clock
ungefähr	Das Oktoberfest dauert ungefähr zwei Wochen.	approximately, circa
die Welt, -en	Menschen in der ganzen Welt feiern Silvester und Neujahr.	world

4

gefallen	Das Festival hat ihnen gut gefallen.	to please, to be pleasing
nett	Henry hat viele nette Leute getroffen.	nice, kind

5

die Abschiedsparty, -s	Am Donnerstag war Marc auf einer Abschiedsparty.	farewell party
die Einweihungsparty, -s	Am Freitag ist meine Einweihungsparty.	housewarming party

6

dorthin	Wie bist du dorthin gekommen? – Ich bin geflogen.	there
der Stichpunkt, -e	Schreiben Sie Stichpunkte auf einen Zettel.	bullet point, keyword
der Teilnehmer, - / die Teilnehmerin, -nen	Jeder Teilnehmer liest einen Zettel vor.	participant
das Top-Party-Erlebnis, -se	Was war dein Top-Party-Erlebnis?	party highlight

7

die Aktivität, -en	Besondere Aktivitäten: Hast du schon einmal Karneval gefeiert?	activity
besonder-	Besondere Aktivitäten: Hast du schon einmal Karneval gefeiert?	special
der Fallschirm, -e	Mein Hobby ist Fallschirmspringen.	parachute
mindestens	Das möchte ich mindestens einmal machen.	at least
der Pazifik (Sg.)	Ich möchte im Pazifik schwimmen.	Pacific
die Pyramide, -n	Hast du die Pyramiden von Gizeh schon gesehen?	pyramid
segeln	Ich möchte einmal über die Nordsee segeln.	to sail
springen	Bist du schon einmal Fallschirm gesprungen?	to jump
das Weißbier, -e	Ich trinke gern Weißbier.	wheat beer

8

| das Jahreszeiten-Poster, - | Machen Sie ein Jahreszeiten-Poster. | seasonal poster |
| wandern | Im Herbst wandern wir gern. | to hike |

LERNZIELE

das Fest, -e	Feste: Geburtstag, Karneval, Hochzeit, …	celebration
geben: es gibt	Das Oktoberfest gibt es seit 1810.	there is
fliegen	Er ist nach München geflogen.	to fly
der Informations-text, -e	Wir lesen viele Informationstexte.	information text
die Jahreszeit, -en	Was ist deine Lieblingsjahreszeit?	time of the year
der Monat, -e	Der Juni ist ein schöner Monat.	month
das Oktoberfest, -e	Das Oktoberfest feiert man in München.	Octoberfest, Munich beer festival

GRAMMATIK & KOMMUNIKATION

| die Vergangen-heit, -en | Wir sprechen über Vergangenes, also die Vergangenheit. | past |

MODUL-PLUS LESEMAGAZIN

1

blühen	Die Kirschbäume blühen schon.	to flower
der Club, -s	Heute Abend gehe ich zum Tanzen in einen Club.	club, night club
danach	Um 15 Uhr war ich im Hotel. Danach bin ich gleich in die Stadt gegangen.	afterwards
der Dom, -e	Speyer hat einen Dom.	cathedral
das Frühlings-Wochenende, -n	Anjas Frühlings-Wochenende am Rhein	spring weekend
das Hotel, -s	Um 15 Uhr ist Anja im Hotel angekommen.	hotel
der Kirschbaum, ⁼e	*Im Schlossgarten von Schwetzingen gibt es Kirschbäume.*	*cherry tree*
der Kommentar, -e	*Schreiben Sie einen Kommentar.*	*comment, commentary*
lecker	Pfälzer Wein ist lecker.	tasty, delicious
der Link, -s	*Welcher Link passt? Markieren Sie.*	*link*
los·fahren	Um 12 Uhr bin ich losgefahren.	to depart
los·gehen	Ich bin gleich losgegangen.	to leave
nach Hause	Anja möchte nicht nach Hause.	home
das Orchester-Wochenende, -n	*Anja war auf einem Orchester-Wochenende in Luzern.*	*orchestra weekend*
der Park, -s	Anja geht in den Park.	park
der Reise-Blog, -s	*Anja schreibt einen Reise-Blog.*	*travel blog*
das Rosa (Sg.)	*So viel Rosa habe ich noch nie gesehen.*	*pink*
schade	Das Wochenende ist vorbei. Schade!	shame
der Schlosspark, -s	In Schwetzingen gibt es einen schönen Schlosspark.	castle grounds, palace garden
(das) Schottland	*Letzten Sommer war ich in Schottland.*	*Scotland*
das Schweinefleisch (Sg.)	Isst du gern Schweinefleisch?	pork
(das) Süditalien	*Im Sommer fahren wir nach Süditalien.*	*South of Italy*
der Tipp, -s	*Ich habe einen Tipp bekommen.*	*hint, advice*
total	*Das Technik-Museum ist total interessant.*	*total*
über (mehr als)	Die Stadt ist über 2 000 Jahre alt.	more than
unterwegs	Anja ist viel unterwegs.	on the go
der Verkehr (Sg.)	Es war nicht viel Verkehr.	traffic
vorbei sein	*Das Wochenende ist schon fast vorbei.*	*over*
(das) Wales	*Wo ist Wales?*	*Wales*
der Wasserturm, ⁼e	Der Wasserturm von Mannheim ist interessant.	water tower

MODUL-PLUS FILM-STATIONEN

1

der Weg, -e	Hannas Weg ins Büro	way, journey

2

das Croissant, -s	*Martin hat Croissants gebacken.*	*croissant*
holen	Er hat die Zeitung geholt.	to fetch, to get
das Jenga (Sg.)	*Hast du schon einmal Jenga gespielt?*	*Jenga (game)*
sauber machen	Später hat Martin aufgeräumt und sauber gemacht.	to clean up
der Spaziergang, ⸚e	Ich habe einen Spaziergang gemacht.	stroll, walk
das Videotagebuch, ⸚er	*Sehen Sie das Videotagebuch.*	*video diary*
zu (zu Abend)	*Wann isst du zu Abend?*	to (to have dinner)

3

die Betriebsfeier, -n	Am Freitag hatten wir Betriebsfeier.	work/company party
die Diashow, -s	*Sehen Sie die Diashow.*	*slide show*
das Faschingsfest, -e	Wir waren auf einem Faschingsfest.	carnival celebration
die Führerschein-prüfung, -en	Hast du die Führerscheinprüfung gemacht?	driving test
die Geburtstags-feier, -n	Wie war Annas Geburtstagsfeier?	birthday party
lustig	Die Feier war sehr lustig.	funny, fun
schaffen	Hast du die Prüfung geschafft?	to accomplish, to pass

MODUL-PLUS PROJEKT LANDESKUNDE

1

die Aussicht, -en	Genießen Sie die Aussicht auf die Stadt.	view
bequem	Mit öffentlichen Verkehrsmitteln können Sie Zürich bequem besichtigen.	comfortable
die Bergbahn, -en	Nehmen Sie die Bergbahn und sehen Sie Zürich von oben.	mountain railway
besichtigen	Touristen können Zürich mit Bus und Bahn besichtigen.	to visit
die Fahrt, -en	Auf der Fahrt mit dem Wassertaxi sehen Sie Zürich vom Wasser aus.	journey, trip, drive
genießen	Genießen Sie die tolle Aussicht.	to enjoy
lieber	Möchten Sie Zürich lieber von oben sehen?	rather
oben: von oben	Mit der Bergbahn können Sie Zürich von oben sehen.	above: from above
öffentlich	Zürich hat ein gutes öffentliches Verkehrsnetz.	public
der Tourist, -en	Tipp für Touristen: Fahren Sie mit öffentlichen Verkehrsmitteln.	tourist
die Touristeninforma-tion, -en	Entschuldigung, wo ist die Touristeninforma-tion, bitte?	tourist information
die Tram, -s	= Straßenbahn	tram

Vocabulary

das Velo, -s (CH)	= Fahrrad	bicycle
das Verkehrsnetz, -e	Das Verkehrsnetz von Zürich ist sehr gut.	transport network
das Wassertaxi, -s	Nehmen Sie ein Wassertaxi und besichtigen Sie die Stadt vom Wasser aus.	water taxi
wenig-	Nur wenige Menschen nehmen öffentliche Verkehrsmittel.	few

2

der Botanische Garten, ∺	Wir sind mit Bus und Tram zum Botanischen Garten gefahren.	Botanic gardens
dabei	Sie möchten die Stadt besichtigen und dabei alle Verkehrsmittel nehmen.	here: in doing so
recherchieren	Recherchieren Sie im Internet.	to research
die Reihenfolge, -n	In welcher Reihenfolge wollen Sie die Sehenswürdigkeiten besichtigen?	order
die Sehenswürdigkeit, -en	Wo sind die Sehenswürdigkeiten von Zürich?	sight, tourist attraction
die Verkehrsbetriebe (Pl.)	Suchen Sie auf der Website der Verkehrsbetriebe Zürich.	transport services
die Website, -s	Gehen Sie auf die Website.	website
wie lange	Wie lange dauert die Fahrt?	how long
der Zoo, -s	Wir möchten zum Zoo.	zoo

MODUL-PLUS AUSKLANG

1

früh	Bis morgen früh!	early
der Hit, -s	DJ PartyMax bringt seine Hits mit.	hit
der Liedtext, -e	Lesen Sie den Liedtext und hören Sie.	lyrics
vergessen	Heute Abend haben wir die Woche schon vergessen.	to forget
zusammen	Wir feiern zusammen.	together

3

bilden	Bilden Sie Gruppen.	to form
die Gruppe, -n	Sprechen Sie in der Gruppe.	group
der House (Sg.)	Hören Sie gern House?	house music
die Popmusik (Sg.)	Mögen Sie Popmusik?	popmusic
der Punk (Sg.)	Ich tanze gern zu Punk.	punk
(der) Reggae (Sg.)	Reggae ist meine Lieblingsmusik.	reggae
der Ska (Sg.)	Was ist Ska?	ska
der Swing (Sg.)	Swing ist toll.	swing
der Techno (Sg.)	Tanzt du gern zu Techno?	techno

Grammar Explanations

Lektion 10: Ich steige jetzt in die U-Bahn ein.

Separable verbs

German verbs can have separable prefixes. These prefixes modify or change the meaning of the original verb by forming a new word.

In the infinitive form verbs are not divided, e.g.:

anrufen	*to call*
einkaufen	*to buy, to shop, to do the shopping*
fernsehen	*to watch TV*

In the present tense sentence, the prefix is separated from the verb and placed at the end of the sentence bracket.

Ich **rufe** dich **an**. *I'll call you. I am going to call you.*
Er **kauft** im Supermarkt **ein**. *He's shopping in the supermarket.*
Wir **sehen** heute Abend **fern**. *We are watching TV tonight.*

Common separable prefixes:

ab- → **ab**holen *(to pick up someone)*, **ab**fahren *(to depart)*
an- → **an**rufen *(to call, to phone)*, **an**kommen *(to arrive)*
aus- → **aus**steigen *(to alight, to get out of a car, to get off the train or bus)*
ein- → **ein**kaufen *(to shop)*, **ein**steigen *(to board, to get in the car, to get on the bus or train)*
fern- → **fern**sehen *(to watch TV)*
mit- → **mit**bringen *(to bring along)*
um- → **um**steigen *(to change trains)*

Irregular verb nehmen

The verb **nehmen** (to take) is irregular and has significant changes to the stem in the 2nd and 3rd person **singular**.

Nimmst du ein Taxi? *Will you take a taxi?*
Nein, ich **nehme** die U-Bahn. *No, I'll take the underground.*

		nehmen
singular	ich	nehme
	du	nimmst
	er/sie	nimmt
plural	wir	nehmen
	ihr	nehmt
	sie/Sie	nehmen

Grammar Explanations

Personal pronouns as objects

Personal pronouns in accusative are used when they are direct objects in the sentence.

Rufst du **mich** an?
Ja, ich rufe **dich** am Montag an.
Holst du **mich** am Bahnhof ab?
Ja, ich hole **dich** ab.

*Will you call **me**?*
*Yes, I will call **you** on Monday.*
*Will you pick **me** up at the train station?*
*Yes, I will pick **you** up.*

Personal pronoun in nominative	Personal pronoun in accusative
ich	**mich**
du	**dich**

Lektion 11: Was hast du heute gemacht?

Perfekt – past tense

The German past tense **Perfekt** tense is used to speak about the past.

The **Perfekt** tense is a compound of a conjugated auxiliary verb **haben** or **sein** and a **past participle**. The auxiliary and the past participle form a sentence bracket.

Was **hat** Dr. Weber **gesagt**?

Conjugated   Partizip
haben   Perfekt

What did Dr Weber say? What has Dr Weber said?

The past participle (**Partizip Perfekt**) of **regular verbs** is formed from **the stem** of the infinitive, from the prefix *ge-* and the ending *-t*

machen → **ge**mach**t**
üben   → **ge**üb**t**
sagen → **ge**sag**t**

Ich **habe** heute Deutsch **geübt**.

I have practised German today.

The perfect tense of **irregular verbs** also requires either **haben** or **sein** as the auxiliary and the **past participle**. Irregular participles are formed from the prefix *ge-*, an **irregular stem** and in most cases the ending *-en*

schreiben → **ge**schrieb**en**
sprechen → **ge**sproch**en**

Ich **habe** eine E-Mail **geschrieben**.

I have written an email.

Grammar Explanations

A large group of verbs have infinitives that end in -*ieren*. This group forms the participle **without the prefix** *ge-*.

telefonieren → *telefonier**t***
studieren → *studier**t***

Wo **hast** du Deutsch **studiert**?   *Where did you study German?*

Separable verbs form the participle placing the prefix *ge-* **between the separable prefix** and **the stem** of the verb.

aufräumen → *auf**ge**räumt*
anrufen → *an**ge**rufen*

Hast du Dr. Weber **angerufen**?   *Did you call Dr Weber?*

The verb haben in past tenses

Some verbs are used to speak about the past in **Präteritum** tense rather than in **Perfekt** tense. (**Präteritum** is a simple, not compound tense.)

One of them is the verb **haben**.

Rather than:
Ich **habe** viel Arbeit **gehabt**.   *I've had a lot of work.*

We would say:
Ich **hatte** viel Arbeit.   But it still means: *I've had a lot of work.*

		haben (Präteritum)
singular	ich	**hatte**
	du	**hattest**
	er/sie	**hatte**
plural	wir	**hatten**
	ihr	**hattet**
	sie/Sie	**hatten**

Temporal prepositions von... bis..., ab

Temporal prepositions express relations in time.

The prepositions **von ... bis ...** describe duration:
Von 9 Uhr **bis** 14 Uhr arbeite ich im Büro.   *From 9 am till 2 pm I work in the office.*

The preposition **ab** refers to a specific moment in time (mostly in the present):
Der Chef ist **ab** 10 Uhr im Büro.   *The boss will be in the office from 10 am on.*

Expressions of time and duration in accusative

Accusative case is not only used as the direct object of the verb. It can also be used with expressions of time and duration:

Ich habe **den ganzen** Tag mit Kunden gesprochen.	*I have been speaking to the clients all day long.*
Was hast du **letzten Freitag** gemacht?	*What have you been doing last Friday?*

Irregular verb einladen

The verb **einladen** (*to invite*) is irregular, separable and has the vowel change **a → ä** to the stem in the **2nd** and **3rd** person **singular**.

Heute Abend **lade** ich viele Freunde **ein**.	*I am inviting a lot of friends tonight.*
Lädst du auch viele Freunde **ein**?	*Are you inviting lots of friends too?*

		einladen
singular	ich	lade ein
	du	lädst ein
	er/sie	lädt ein
plural	wir	laden ein
	ihr	ladet ein
	sie/Sie	laden ein

Lektion 12: Was ist denn hier passiert?

Perfekt with sein as auxiliary

Some verbs require the auxiliary *sein* in the Perfekt tense but the English translation is still *have* or *had*. The formation of the participle remains the same.

Verbs with **sein**:

Verbs of **motion**: fahren, gehen, reisen, fliegen etc.

Er **ist** nach Deutschland **gefahren**.	*He went to Germany.*

Verbs that involve a **change of condition** or **location**: ankommen, einsteigen

Der Zug **ist** pünktlich **angekommen**.	*The train arrived on time.*

The verbs **sein, bleiben, werden**

Das **ist** früher ein Museum **gewesen**.	*It's been a museum before.*

The verb sein in past tenses

The verb **sein** (*to be*) is also one of the verbs used to speak about the past in the *Präteritum* tense rather than in *Perfekt* tense.

Grammar Explanations

Rather than:
Ich **bin** auf dem Oktoberfest in München **gewesen**.   *I've been to the October fest in Munich.*

We would say:
Ich **war** auf dem Oktoberfest in München.   But it still means: *I've been to the October fest in Munich.*

		sein (Präteritum)
singular	ich	**war**
	du	**warst**
	er/sie	**war**
plural	wir	**waren**
	ihr	**wart**
	sie/Sie	**waren**

Temporal prepositions im, seit

The preposition **im** is used together with months and seasons:
Ich fahre **im Oktober** nach München.   *I am going to Munich in October.*
Ich mache immer **im Herbst** Urlaub.   *I always go on holiday in the autumn.*

The preposition **seit** (*since, ever since, for*) refers to a moment in time (always in the past) when something started.
Den Karneval in Köln gibt es **seit 1823**.   *The Cologne carnival exists since 1823.*

Local prepositions nach, in

Local prepositions express relations in space (position, direction or movement towards something):

nach – *to (country or city)*
Ich möchte dieses Jahr **nach Deutschland** fahren.   *I would like to go to Germany this year.*
Henry fährt im September **nach Berlin**.   *Henry is going to Berlin in September.*

in – *into, in, to (countries with masculine or feminine gender)*
Wir fliegen im Mai **in die Türkei**.   *We are flying to Turkey in May.*
Wir möchten dieses Jahr **in den Iran** fahren.   *We'd like to go to Iran this year.*

Dates – reading a year

Reading a year in German is a little bit different than in English. **1982** will not be read as *nineteen – eighty two* but as **one word** with the number of **hundreds**:

1982 **neunzehnhundertzweiundachtzig** (*nineteen hundred+eighty two*)
1873 **achtzehnundertdreiundsiebzig**

The years with one or two thousands will not cause major problems:
1025 **tausendfünfundzwanzig**
2013 **zweitausenddreizehn**

Cultural Studies

Public Transport

The German public transport system is known for its efficiency and even small towns and villages are well connected to the highly developed public transport system. It includes buses, regional trains, subways, trams and in larger metropolitan areas such as Munich, Berlin or Hamburg, suburban commuter trains and night buses.

Another popular mode of transport around town and a perfect way to cover short distances is cycling. Well-designed infrastructure, a wide network of cycle paths and an environmentally friendly way of getting around town are some of the many reasons why cycling has such a positive image in Germany. Also, Germans are known to be health conscious and for a huge number of people cycling means enjoying a healthy lifestyle and increasing their quality of life.

Cycling is particularly popular with students and in university towns such as Freiburg or Heidelberg, it is the primary mode of transport for the majority. In general, cycling is more popular in the north than the south but a large and ever expanding network of cycle paths (*Fahrradwege*) can be found all over the country.

Since 2002, the *Deutsche Bahn* has run the successful rental bike system *Call a bike* in approximately 60 cities spread all over Germany. The red and silver bikes are plentiful in towns like Munich, Berlin, Cologne and many others. Once registered, a simple and highly flexible system enables users to collect and deposit bikes at many locations around town. In recent years, technical developments such as mobile phones and chip cards have made renting a bike even more user-friendly and a fairly modest price system ensures its ever increasing popularity.

Festivals in the German Speaking Countries

Karneval und Fastnacht

Karneval, Fastnacht or *Fasching* are all terms for the Carnival Celebration, another popular festivity in all German speaking areas occurring in the weeks before Lent. It is an important time for celebration and sometimes even called *Die fünfte Jahreszeit* (The fifth season) as traditional laws and rules are said to be invalid. As the different names for the Carnival celebration already suggest, there are huge customary variations from region to region, sometimes even from town to town. However, dressing up, parades, costume balls and expelling the cold and harsh winter sprites are the main features and it is definitely a time of great revelry and for partying.

Oktoberfest

Famous world-wide, the *Oktoberfest* is still the most popular German festival with more than 6 million international visitors each year. The first festival took place in 1810 to celebrate the wedding of Crown Prince Ludwig and Princess Therese of Saxe-Hild-

Cultural Studies

burghausen. In honour of the princess, the huge field where the festivities took place was called Theresienwiese – nowadays mostly shortened to *Wiesn*. The festival lasts for about two weeks and runs from late September to the first weekend in October. Since it attracts thousands of guests from all over the world, it plays an important role for tourism in Bavaria.

The main attractions are the different beer tents which naturally serve many local beers but furthermore offer a selection of traditional food. On the menu, you will find *Hendl* (chicken), *Schweinebraten* (roast pork) and *Schweinshaxe* (knuckle of pork), *Weißwurst* (Bavarian veal sausage, white sausage), *Brezeln* (Pretzel), *Knödel* (dumplings) and many other Bavarian delicacies.

Berlinale

The Berlinale, an annual International Film Festival held in Berlin, is an important date for the international film industry. The festival was founded in West Berlin in 1951 at the initiative of Oscar Martay, an American film officer. Initially it took place in summer but since 1978, it has been held in February. About 400 films are shown in different sections, e.g. Berlinale Shorts, Generation or Panorama. The award for the best film is called *Goldener Bär* (The Golden Bear). Individual awards are presented in Best Film Music, Best Screenplay and similar categories (*Silberner Bär*). Approximately 20,000 professionals from all over the world attend the festival and naturally, it is an important meeting for people in the film industry – from famous directors and producers to upcoming artists.

Salzburger Festspiele

The Salzburg Festival (*Salzburger Festspiele*) is held every summer in Austria in the town of Salzburg which is most widely known for being the birth-place of Wolfgang Amadeus Mozart. It was inaugurated in August 1920 and attracts nowadays more than 250,000 visitors from many different countries.

The annual highlight of the festival is the performance of the *Jedermann* (Everyman), a famous play by the Austrian novelist, poet, dramatist and narrator Hugo von Hofmannsthal (1874-1929). The play of the rich man's death is usually shown in front of the Cathedral in Salzburg.

Lucerne Festival

The *Lucerne festival* is a well renowned classical music festival in Lucerne (Luzern) in north-central Switzerland. The festival first occurred in the summer of 1938 as a series of concerts by famous musicians and a specially assembled orchestra in the gardens of Wagner's villa on the shores of Lake Lucerne. Famous musicians of the time such as Bruno Walter or Fritz Busch had refused to perform at classical music festivals in Austria or Germany due to the rise of the Nazi regime and Switzerland's independent and neutral political stance made an ideal platform for classical music events. Nowadays, the festival is becoming more diverse and attracts more than 120,000 visitors each year.

Cover: © Getty Images/Image Source

Seite 5: Flaggen © fotolia/createur
Seite 15: Flaggen © fotolia/createur
Seite 19: © PantherMedia/Andres Rodriguez
Seite 20: © PantherMedia/James Steidl
Seite 21: © fotolia/Albert Schleich
Seite 36: Tisch © iStockphoto/simonkr
Seite 37: © iStockphoto/temniy
Seite 38: © PantherMedia/Dietmar Stübing
Seite 40: beide © Thinkstock/iStockphoto
Seite 41: © fotolia/gk60
Seite 51: Flagge © fotolia/createur
Seite 52: Gewürzgurke © iStockphoto/Pumpa1; Ei © iStockphoto/stockcam
Seite 54: © iStockphoto/Jan-Otto
Seite 58: © Thinkstock/iStockphoto
Seite 59: oben © Thinkstock/iStock; unten © Thinkstock/iStock
Seite 60: Brot © Thinkstock/iStock; Wiener Schnitzel © PantherMedia/Bernd Jürgens
Seite 76: Oktoberfest © Superjuli; junger Mann © iStockphoto/Jacom Stephens
Seite 77: Radfahrerin © iStockphoto/trait2lumiere; Karneval © fotolia/Heinz Waldukat
Seite 78: Brezel © Thinkstock/iStockphoto; Berlinale © PantherMedia/Toni Anett Kuchinke;
    Mozart © Thinkstock/iStockphoto

Alle übrigen Fotos: Florian Bachmeier, Schliersee

Bildredaktion: Iciar Caso, Hueber Verlag, München